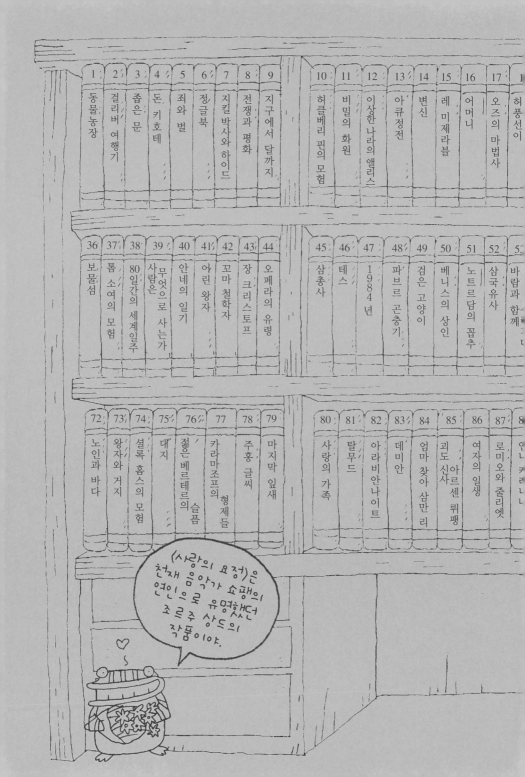

아이세움 논술 | 명작 89

사랑의 요정

감수 방민호

서울대 국문과, 같은 과 대학원을 졸업했습니다. 제1회 창비신인평론상과 제18회 김달진문
학상을 수상했으며, 현재 서울대 국문과 교수로 재직 중입니다. 〈비평의 도그마를 넘어〉,
〈문명의 감각〉을 비롯한 많은 책을 쓰고 엮었습니다.

아이세움 논술 | 명작 89

사랑의 요정

원작 조르주 상드 | **엮음** 박지선 | **그림** 김윤경 | **감수** 방민호

펴낸날 2011년 2월 1일 초판 1쇄, 2013년 10월 25일 초판 5쇄

펴낸이 김영진

본부장 조은희 | **사업실장** 이영호

편집장 박철주 | **편집·진행** 박은식, 백한별, 이미호, 안아름 | **디자인** 강륜아

펴낸곳 (주)미래엔 | **주소** 서울시 서초구 잠원동 41-10

전화 마케팅 02)3475-3843~4 편집 02)3475-3924 | **팩스** 02)541-8249

등록 1950년 11월 1일 제16-67호 | **홈페이지** www.i-seum.com

ISBN 978-89-378-4978-7 74860

ISBN 978-89-378-4116-3 (세트)

· 책값은 뒤표지에 있습니다.
· 파본은 구입처에서 교환해 드리며, 관련 법령에 따라 환불해 드립니다. 다만, 제품 훼손 시 환불이 불가능합니다.

Mirae Ⓝ 아이세움은 (주)미래엔의 어린이책 브랜드입니다.

아이세움 논술 | 명작 89

사랑의 요정

조르주 상드 원작

박지선 엮음 | 김윤경 그림

아이세움
i-seum

명작은 인간과 사회를 이해하는 첫걸음입니다

많은 사람들에게 재미와 감동을 주는 탁월한 작품을 명작이라고 합니다. 그중 시간과 공간을 초월하여 변함없이 사랑받아온 작품을 고전이라고 하지요.

우리는 어릴 때부터 고전과 명작 읽기의 중요성에 대해 배워 왔습니다. 고전 명작이 소중한 이유는 그 안에 인간과 사회에 대한 작가의 치열한 상념이 녹아 있기 때문입니다. 탄탄한 서사 구조 속에 재미와 감동은 물론, 시대를 대변하는 보편적인 가치가 반영되어 있기 때문입니다.

따라서 고전 명작을 읽을 때에는 작품 속 주제 의식이나 작가의 세계관을 올바로 이해하려는 노력이 필요합니다. 작가가 작품을 쓰던 당시의 사회적 배경이 어떠하였는지, 또 작품에서 가장 중요하게 다루고 있는 논쟁거리가 무엇인지에 대해 깊이 고민해야 합니다. 주제, 줄거리 등을 단편적으로 암기하는 것이 아니라 작가와 교감을 통해 인간과 사회에 대한 이해를 넓혀 가는 것입니다. 이런 노력이 뒷받침되어야 우리는 비로소 고전 명작을 읽었다라고 이야기할 수 있습니다.

　〈아이세움 논술 l 명작〉은 고전 명작이 어른들의 전유물이라는 편견을 버리고, 재미있는 삽화와 쉬운 문장으로 구성하였습니다. 그리고 작품을 읽기 전에 작품을 둘러싼 시대적 배경을 알려 주고 읽은 후에는 작품에 대해서 토론하면서 생각할 수 있도록 구성되어 있습니다. 어린 독자들이 고전에 친숙해질 수 있는 기회를 주는 책이라고 생각합니다.

　어린 시절에 읽는 양서 한 권이 어린이의 미래를 바꿉니다. 부디 〈아이세움 논술 l 명작〉으로 세계를 바라보는 안목을 높이고 자기만의 세계를 공고히 다져 나가기 바랍니다.

서울대학교 국어국문학과 교수
방 민 호

명작 읽기의 소중함

열심히 책만 읽기에는 너무 고단한 우리 학생들에게 다시 '논술' 열풍이 불고 있다. 학생들이 스스로 즐겨 그렇게 된 것은 아니지만, 학생들을 위해 결코 나쁜 일이라고만 말할 수는 없을 것이다.

새삼스러운 얘기일 터이지만 좋은 글을 쓸 수 있는 가장 빠른 길은 "많이 읽고(다독多讀)·많이 쓰고(다작多作)·많이 생각(다상량多商量)"하는 삼다(三多)밖에 다른 것이 없다.

먼저 다독이 문제다. 많이 읽는다고 해서 아무 책이나 마구잡이로 읽는 것을 다독이라고 하지는 않는다. 많이 읽되, 좋은 책을 읽을 때 그것이 다독이다. 그렇다면 어떤 책이 좋은 책일까?

우선 고전이라 할 명작에는 사람이 세상을 살면서 알아야 할 온갖 삶의 지혜와 가치가 담겨 있다. 가령 〈지킬 박사와 하이드〉에서는 인간 내면에 혼재해 있는 선과 악의 대립을, 〈동물농장〉

에서는 삶을 한없이 타락시키는 전체주의와 아름다운 삶을 지향하는 인간의 무한한 이상의 끊임없는 갈등과 투쟁에 대한 반추를 해 볼 수 있다. 이런 고전을 재미있게 읽고 생각하는 기회를 갖는 것이 바로 좋은 글을 쓸 수 있는 바탕이다. 문제는 고전이 너무 어렵고 분량이 방대하다는 점이다.

이번에 출간된 〈아이세움 논술 l 명작〉은 원전의 내용을 재구성해 어린 학생들이 쉽게 고전과 친해지도록 만들었다. 지루함을 덜기 위해 캐릭터를 사용해서 그 캐릭터들과 끊임없이 교감하며 끝까지 책을 손에서 놓지 못하게 만든 것도 이 시리즈의 특색이요 장점일 터이다. 책 뒤에 논술을 학습할 수 있도록 논술 워크북과 가이드북을 제공하여 '학습과 논술'이라는 두 문제를 다 해결할 수 있도록 배려한 점도 주목할 만하다. 어린 학생들이 편안하고 소중한 독서 경험을 하리라 본다.

물론 이 명작선은 완역본이 아니므로 이것만 읽어서는 해당 작품을 제대로 읽었다고 말할 수 없을 것이다. 그러나 훗날 학생들이 성장하여 완역본으로 다시 읽고 올바르게 이해하는 데 큰 도움이 되도록 세심한 배려를 했다.

이 점도 이 시리즈가 귀하고 값진 이유이다.

시인
신경림

| 차 례 |

안녕, 난 **번빠리**야. 〈사랑의 요정〉은 겉모습 보다는 진실한 마음이 소중하다는 것을 일깨워 주는 작품이야.

난 **뒤뚱이**. 프랑스의 아름다운 농촌 마을을 배경으로 한 전원 소설이란다.

사랑의 힘으로 새로운 사람으로 거듭나는 파데트의 변화가 감동적인 작품이란다.

파데트에는 작가 조르주 상드 자신의 모습이 담겨 있대.

고로케   박테리아   튜브   팬티맨

PART 1
PART 1 PART 1
PART 1 PART 1 PART 1
PART 1 PART 1 PART 1 PART 1
PART 1 PART 1 PART 1 PART 1 PART 1
PART 1 PART 1 PART 1 PART 1 PART 1
PART 1 PART 1 PART 1 PART 1 PART 1 PART
PART 1 PART 1 PART 1 PART 1 PART 1
PART 1 PART 1 PART 1 PART 1
PART 1 PART 1 PART 1
PART 1 PART 1

먼저 살펴보기

진실한 사랑을 찾아
떠나 볼까?

PART 1

명작 살펴보기

파데트의 참모습을 알아본 랑드리

번빠리와 뒤뚱이가 마을 축제에 놀러 갔어요. 흥겨운
음악 소리와 북적이는 사람들 속에서 번빠리와 뒤뚱이도
신이 났어요. 마을 아가씨와 청년들은 짝을 지어 춤을
추었지요.

참모습을 보려면
내가 먼저 마음을 열고
다가가야 해.

역시 난 우리
마을에서 인기
최고야!

마들렌, 우리
마을에서 네가
제일 예뻐!

빨리 마들렌과
춤추고 싶다!

내 차례는
언제쯤 올까?

난 귀뚜라미
파데트하고는 절대
춤추지 않을 거야.

나도 너희들하고
춤 안 출 거야!

파데트는
춤출 상대가
없나 봐.

우리랑
추자고
하자.

파데트,
너와 춤출 남자는
아무도 없을 텐데.

사람들은 파데트의 겉모습만 보고 멀리했어요. 하지만 참모습을 알아본 사람이 있었어요. 랑드리예요. 랑드리와 파데트는 사랑하는 사이가 된답니다. 두 사람이 어떻게 마음을 열고 **사랑하는 사이가 되는지 함께 볼까요?**

유난히 사이가 좋은 쌍둥이 형제

쌍둥이로 태어난 실비네와 랑드리는 사이가 유난히 좋아 부모의 걱정이 이만저만이 아니었어요. 둘은 자라면서 더욱더 사이가 좋아져서 잠시도 떨어지지 않으려고 했어요. 집안 사정으로 동생 랑드리가 이웃 마을로 떠나자 형 실비네는 슬픔에 잠겼어요. 한 몸처럼 지내던 랑드리와 헤어진 걸 받아들이지 못했지요. 날마다 랑드리 생각만 하며 우울하게 지냈어요. 랑드리와 친한 사람들을 질투하고, 괜스레 심술을 부리며 랑드리한테 시비를 걸었답니다.

랑드리가 파데트를 사랑하는 걸 알고 실비네는 질투로 몸겨누웠어요. 하지만 미워하고 무시하던 파데트의 보살핌으로 병도 낫고, 자기 잘못도 깨달았어요. 마침내 실비네는 건강한 몸과 마음으로 새롭게 살아간답니다.

마음을 열고 나누는 순수한 사랑

파데트는 못생기고, 여자아이답지 않은 행동으로 따돌림을 받았어요. 그러나 파데트는 누구보다 마음이 바르고 지혜로웠어요. 그런 파데트의 참된 모습을 알아본 사람이 있었어요. 바로 랑드리였지요. 랑드리도 처음에는 파데트를 싫어했지만 파데트의 진실한 마음에 크게 감동했어요. 파데트도 마음을 열고, 랑드리의 충고를 받아들여 달라지려고 노력했지요. 랑드리와 파데트는 사랑에 빠졌지만 이룰 수 없을 것 같았어요. 집안의 반대, 특히 질투하는 실비네가 걱정이었지요. 하지만 파데트는 용기를 갖고 지혜롭게 어려움을 풀었어요. 마침내 두 사람은 모두의 축복을 받으며 행복한 결혼에 이른답니다.

랑드리는 파데트의 아름다운 마음씨와 진실한 사랑을 알아보았단다.

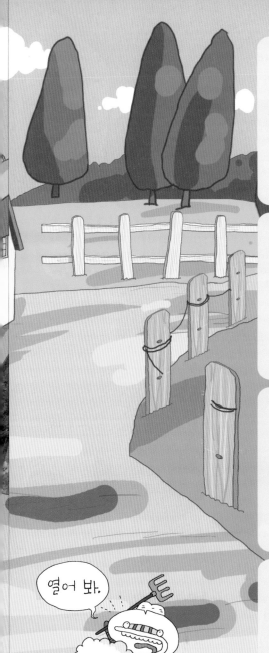

Start 발단

신비로운 애정으로 맺어진 쌍둥이 형제는 늘 붙어 다니며 사이좋게 지낸다. 동생 랑드리가 이웃 마을의 일꾼으로 가게 되면서 둘은 처음으로 헤어져 지낸다. 꿋꿋한 랑드리와 달리 형 실비네는 동생 생각만 하며 슬픔에 빠져 지낸다.

expansion 전개

랑드리는 겉모습만 보고 무시했던 파데트의 진실한 마음을 깨닫고, 사랑을 느낀다. 랑드리의 충고를 받아들인 파데트는 겉모습부터 행동까지 몰라보게 달라진다. 두 사람은 조심스럽게 사랑을 키워 나간다.

climax 절정

랑드리 아버지의 결혼 반대로 파데트는 잠시 마을을 떠나게 되지만 둘의 사랑은 더욱 깊어진다. 아름다운 숙녀가 돼 다시 돌아온 파데트는 랑드리의 아버지에게 결혼을 허락받는다. 실비네는 질투로 마음의 병이 깊어진다.

ending 결말

파데트는 아픈 실비네를 돌보면서 뼈아픈 충고를 한다. 실비네는 자기의 이기적인 마음을 깨닫고, 새롭게 살기로 마음먹는다. 랑드리와 파데트는 결혼을 하고, 실비네는 파데트를 향한 사랑을 가슴에 품고 군대로 떠난다.

열어 봐.

자신의 단점은 무엇인지 생각해 보세요

　사람들은 겉모습만 보고 파데트를 무시하고 놀렸어요. 어머니가 안 계시고 가난한 집안 형편도 놀림거리가 될 뿐이었어요. 파데트가 정말 어떤 사람인지는 아무도 알려고 하지 않았지요. 그저 소문과 겉모습만으로 파데트를 따돌리고 멀리했어요. 그럴수록 파데트는 점점 더 말괄량이가 되어 갔어요.

　랑드리가 진심 어린 충고를 하며 파데트의 단점을 지적하자 파데트는 변하기 시작했어요. 자신의 단점을 인정하고 하나하나 고쳐 나가려고 노력했지요. 마침내 무시당하고 손가락질만 받던 파데트는 마을에서 가장 매력적인 아가씨로 탈바꿈한답니다.

　자신의 단점이 무엇인지, 어떻게 하면 고칠 수 있는지 생각해 보면서 이 책을 읽어 보세요.

◀ 조르주 상드가 어린 시절을 보냈던 프랑스 베리 주 노앙에 있는 저택이에요. 상드는 이곳에서 〈사랑의 요정〉을 썼다고 합니다.

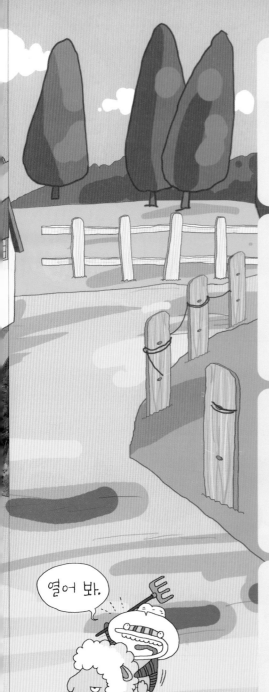

Start 발단

신비로운 애정으로 맺어진 쌍둥이 형제는 늘 붙어 다니며 사이좋게 지낸다. 동생 랑드리가 이웃 마을의 일꾼으로 가게 되면서 둘은 처음으로 헤어져 지낸다. 꿋꿋한 랑드리와 달리 형 실비네는 동생 생각만 하며 슬픔에 빠져 지낸다.

expansion 전개

랑드리는 겉모습만 보고 무시했던 파데트의 진실한 마음을 깨닫고, 사랑을 느낀다. 랑드리의 충고를 받아들인 파데트는 겉모습부터 행동까지 몰라보게 달라진다. 두 사람은 조심스럽게 사랑을 키워 나간다.

climax 절정

랑드리 아버지의 결혼 반대로 파데트는 잠시 마을을 떠나게 되지만 둘의 사랑은 더욱 깊어진다. 아름다운 숙녀가 돼 다시 돌아온 파데트는 랑드리의 아버지에게 결혼을 허락받는다. 실비네는 질투로 마음의 병이 깊어진다.

ending 결말

파데트는 아픈 실비네를 돌보면서 뼈아픈 충고를 한다. 실비네는 자기의 이기적인 마음을 깨닫고, 새롭게 살기로 마음먹는다. 랑드리와 파데트는 결혼을 하고, 실비네는 파데트를 향한 사랑을 가슴에 품고 군대로 떠난다.

자신의 단점은 무엇인지 생각해 보세요

사람들은 겉모습만 보고 파데트를 무시하고 놀렸어요. 어머니가 안 계시고 가난한 집안 형편도 놀림거리가 될 뿐이었어요. 파데트가 정말 어떤 사람인지는 아무도 알려고 하지 않았지요. 그저 소문과 겉모습만으로 파데트를 따돌리고 멀리했어요. 그럴수록 파데트는 점점 더 말괄량이가 되어 갔어요.

랑드리가 진심 어린 충고를 하며 파데트의 단점을 지적하자 파데트는 변하기 시작했어요. 자신의 단점을 인정하고 하나하나 고쳐 나가려고 노력했지요. 마침내 무시당하고 손가락질만 받던 파데트는 마을에서 가장 매력적인 아가씨로 탈바꿈한답니다.

자신의 단점이 무엇인지, 어떻게 하면 고칠 수 있는지 생각해 보면서 이 책을 읽어 보세요.

◀ 조르주 상드가 어린 시절을 보냈던 프랑스 베리 주 노앙에 있는 저택이에요. 상드는 이곳에서 〈사랑의 요정〉을 썼다고 합니다.

사랑을 위해 행동하는 여성, 파데트

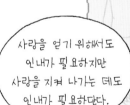

사랑에는 용기가 필요해. 그런데 그 용기는 나를 위한 것이 아니라 상대방을 위한 것이어야 해.

랑드리 아버지가 둘의 사랑을 반대하자 파데트는 침착하게 행동했어요. 자기의 아픔보다 랑드리의 아픔을 먼저 생각했고, 둘 사이를 인정받을 방법을 찾았어요. 힘들긴 하겠지만 사랑을 이루기 위해 잠시 랑드리와 헤어지기로 한 것이었지요. 랑드리는 파데트의 마음을 오해하고 울며 붙잡았지만 결국 파데트를 보낼 수밖에 없었어요. 파데트가 사랑을 위해 용기 있게 내린 결정임을 알았거든요.

다시 돌아온 파데트는 랑드리 집안의 반대와 실비네의 질투도 슬기롭게 풀었어요. 때로는 인내하고 때로는 당당하게 사랑을 키우는 파데트를 눈여겨보세요. 용기와 인내, 지혜로 사랑을 이루는 모습이 당차게 느껴질 거예요.

▲ 조르주 상드의 연인이었던 천재 음악가 쇼팽의 묘지예요.

사랑을 얻기 위해서도 인내가 필요하지만 사랑을 지켜 나가는 데도 인내가 필요하단다.

잠시 휴식! 프렌치 토스트를 먹고 〈사랑의 요정〉을 읽어 보세요!

쌍둥이 형제의 우애와
파데트의 진실한 사랑을 들여다볼까?

PART 2

명작 읽기

1장
쌍둥이 형제 실비네와 랑드리

프랑스의 코스 마을에 사는 바르보 씨에게 쌍둥이 아들이 태어났다. 정직하고 성실한 농부인 바르보 씨에게는 이미 세 아이가 있었다. 마을 의원을 맡고 있는 바르보 씨는 기름진 땅과 넓은 과수원을 가지고 있어 아이가 많아도 걱정이 없었다. 하지만 한꺼번에 두 아이가 태어날 줄은 상상도 하지 못했다.

쌍둥이는 꼭 닮아서 누가 형이고 동생인지 구별하기 어려울 정도였다. 다행히 아기 낳는 것을 도운 사제트 할머니가 쌍둥이가 태어나자마자 표시를 해 두었다. 먼저 태어난 아기의 팔에 바늘로 십자 표시를 한 것이었다. 바르

보 씨는 형에게는 실비네, 동생에게는 랑드리라는 이름을
지어 주었다.

"정말 수고 많았소. 잘생긴 사내아이가 둘이나 생겼으
니 이제 더 열심히 일해야겠는걸. 하지만 다음에는 한꺼
번에 많이 낳지는 맙시다."

바르보 씨가 껄껄껄 웃으며 말을 마치자 갑자기 아내가
울음을 터뜨렸다. 바르보 씨는 당황스러웠다.

"울지 말아요. 쌍둥이가 태어난 게 싫어서 한 말이 아
니라오. 나는 무척 기쁘다오."

"나도 알아요. 하지만 너무 걱정이 돼서
그래요. 쌍둥이는 둘 다 잘 키우기 어렵다
고 하잖아요. 둘 중 한 아이가 죽어야 다른
아이가 잘 자란다는 말이 생각나서……."

"그런 말들을 하기는 하지."

바르보 씨는 사제트 할머니에게 물었다.

"쌍둥이를 둘 다 건강하게 키우려면 어
떻게 해야지요?"

아주 오랜
옛날에는 쌍둥이들은
불행을 몰고 온다고 여겼어.
그래서 쌍둥이가 태어나면
한 명을 죽였단다.

"쌍둥이가 얼굴을 알아볼 수 있는 나이가 되면 붙어 다니지 않도록 해야 해. 한 아이를 밖에 데리고 나가면, 다른 아이는 집에 있게 하라고. 그리고 한 아이에게 주스를 먹이면 다른 아이에게는 우유를 주고. 쌍둥이한테 똑같은 옷을 입히고 자랑스럽게 여기는 부모가 있는데 안 될 말이지. 저 아이들이 하나라는 느낌이 들지 않도록 신경을 써야 해. 내 말 명심해. 안 그러면 크게 후회할 거야."

사제트 할머니는 쌍둥이가 같은 젖을 먹고 자라면 좋지 않다며 유모를 구하라는 말을 덧붙이고는 돌아갔다.

바르보 씨의 아내가 쌍둥이를 들여다보며 말했다.

"돈을 들여서 왜 유모를 구해야 하죠? 나는 우리 쌍둥이를 다른 사람 손에 키우고 싶지 않아요. 사제트 할머니가 같은 젖을 먹이지 말라고 한 건 둘이 너무 가까워지지 않게 하라는 말일 거예요. 유모만 빼고 다른 건 다 할머니의 충고대로 하겠어요. 갓난아기들이 가까워지면 얼마나 가까워지겠어요?"

바르보 씨는 아내의 말에 따르기로 했다.

바르보 씨의 아내는 아무 탈 없이 쌍둥이를 잘 키웠고, 그 뒤에 귀여운 딸까지 낳았다.

쌍둥이 형제는 무럭무럭 잘 자랐다. 튼튼하고 잘생긴데다 착하기도 했다.

마을 사람들은 물론 다른 마을 사람들까지도 쌍둥이 형제를 보면 탄성歎聲을 질렀다.

쌍둥이가 사이가 너무 좋으면 어른이 되어서도 떨어져 살지 못한다고 생각해 사이가 좋아지지 않도록 하려는 거란다.

"어머나, 이렇게 귀여운 아이가 둘이나 있다니! 바르보 씨 부부는 정말 자랑스럽겠어요."

바르보 씨 부부는 한동안 사제트 할머니 말대로 쌍둥이 형제의 사이가 좋아지지 않도록 신경을 썼다. 하지만 늘 함께 지내려는 둘을 막을 수 없었다.

고민에 빠진 바르보 씨 부부는 신부를 찾아가 걱정을 털어놓았다.

탄성(歎聲) : 몹시 감탄하는 소리.

"너무 걱정 마세요. 사람의 일은 모두 하느님의 뜻입니다. 사람의 힘으로 어찌 그것을 바꿀 수 있겠습니까?"

신부의 말을 들은 뒤로 바르보 씨 부부는 유난히 좋은 쌍둥이 형제의 사이를 크게 걱정하지 않았다.

얼핏 보면 쌍둥이 형제는 똑같았지만 잘 살펴보면 조금 달랐다. 동생 랑드리가 조금 더 키가 크고 튼튼했다. 형 실비네는 오른쪽 뺨에 점이 있고, 동생 랑드리는 왼쪽 뺨에 점이 있었다.

처음으로 성당의 미사에 데리고 갈 때 바르보 씨의 아내는 쌍둥이에게 똑같은 색깔에 똑같은 모양의 옷을 입혔다. 자신의 치마를 뜯어 만들어 입힌 옷이었는데 마을의 바느질 집에서는 한 가지 모양의 옷밖에 만들 수 없었기 때문이다.

쌍둥이 형제는 날이 갈수록 사이가 더욱더 좋아졌다. 다른 아이들과 놀 때도 꼭 붙어 있으려고 했고, 잠시도 떨어지지 않으려고 했다.

쌍둥이들은 좋아하는 색깔도 똑같았다. 새해 선물로 넥

타이를 고르라고 했을 때 두 아이는 동시에 같은 모양의 보랏빛 넥타이를 집어 들었다.

바르보 씨는 슬슬 걱정이 되었다. 하루는 들에 일을 하러 나가면서 일부러 랑드리만 데리고 갔다.

"실비네는 집에서 엄마 일 좀 거들어 드려라."

그날 두 아이는 하루 종일 너무나도 슬픈 표정을 짓고 있었다. 저녁 때가 되어 다시 만난 쌍둥이는 얼싸안고 기뻐했다. 쌍둥이들의 서로 아끼고 사랑하는 마음은 점점 깊어졌다.

바르보 씨가 일부러 쌍둥이가 좋아하는 물건을 두 아이 중 하나에게만 주면 그것이 먹을 것일 경우에는 반을 갈라 먹었고, 장난감이면 사이좋게 가지고 놀았다. 일부러 싸우게 하거나 겨루게 만들어서 사이가 멀어지게 하려고도 해 봤지만 소용없었다. 아무리 해도 쌍둥이 형제의 사이는 갈라놓을 수가 없었다. 결국 바르보 씨는 일부러 둘을 떼어 놓으려던 것을 포기했다.

2장
헤어지게 된 쌍둥이

세월이 흘러 쌍둥이 형제는 열네 살이 되었다.

이 무렵 코스 마을에 몇 년 동안 가뭄이 들어 흉년이 계속됐다. 아이들이 많아 먹고살기 힘들어진 바르보 씨는 식구를 줄이는 방법을 생각하지 않을 수 없었다. 그때 마침 이웃 프리시 마을에 사는 카이요 씨가 소를 돌볼 아이가 필요하다고 했다.

"이제 너희들도 다 컸으니 집안 형편을 짐작하리라 믿는다. 너희들이 집안을 도울 때가 되었구나."

바르보 씨가 어렵게 말을 꺼냈을 때 쌍둥이 형제는 눈물을 흘리며 아무 말도 하지 않았다. 그러고는 사흘 내내

둘이 손을 꼭 잡고 숲과 들판을 쏘다녔다. 바르보 씨는 인
내심을 가지고 쌍둥이들이 마음을 정할 때까지 기다렸다.

랑드리가 먼저 자기가 일꾼으로 가겠다고 나섰다.

"형! 카이요 씨는 우리 둘 중 한 사람만 오라고 하셨어.
내가 형보다 건강하니까 형은 집에 있어. 내가
갈게. 아주 멀리 가는 것도 아니니까 보고
싶으면 언제든지 만날 수 있을 거야."

"후유, 누가 가든 무슨 상관이야. 어차피
우리는 헤어져 지내야 하는걸. 둘이 함께 가
면 좋을 텐데……."

유난히 사이가
좋은 쌍둥이 형제가
헤어져 살아야 한다니
무척 슬프겠어.

동생보다 마음이 여린 실비네는 결국 울
음을 터뜨렸다. 랑드리도 눈물을 흘렸다. 랑
드리는 낯선 마을에 가서 가족이 아닌 다른 사람들과 살
아야 하는 일이 쉽지 않을 것이라는 사실을 잘 알았다. 하
지만 자기가 그 고통을 겪는 게 낫다고 생각했다. 실비네
는 랑드리의 결정을 받아들일 수 없었다. 동생이 남의 집
에서 고생할 것을 생각하니 마음이 아팠던 것이다.

둘은 서로 자기가 가겠다고 한참을 입씨름하다 동전 던지기로 결정하기로 했다. 결국 랑드리가 가게 되었다.

"봐, 형! 운명이야. 운명은 거스를 수 없는 거야."

실비네는 엉엉 울었지만 랑드리는 울지 않고 마음을 단단히 먹었다. 랑드리는 아버지에게 자기가 일꾼으로 가겠다고 말했다.

형인 실비네보다 동생인 랑드리가 더 의젓한걸.

"어느새 너희가 다 컸구나. 아버지 마음을 알아주니 정말 기쁘다. 하느님께서 너희에게 큰 축복을 베푸실 거야."

어머니는 랑드리가 집을 떠나 고생할 일과 동생을 그리워할 실비네를 생각하자 가슴이 메었다. 아무 말도 못하고 그저 쌍둥이들을 꼭 껴안아 주었다.

다음 날 아침 해가 뜨기도 전에 바르보 씨는 랑드리를 깨웠다.

"어서 일어나렴. 형과 어머니가 일어나기 전에 얼른 가자. 네가 가는 걸 보면 어머니와 형이 너무 슬퍼할 거야."

"어머니와 형한테 인사人事를 해야 하잖아요? 그냥 가면 섭섭해할 거예요."

"네가 가는 걸 실비네가 보면 또 울 거다. 그럼 어머니도 깨서 우실 거고. 마음을 먹었으니 뒤돌아보지 말고 얼른 가자. 가까이 있으니 자주 만날 수 있을 거야."

랑드리는 눈물을 참고 아버지를 따라 집을 나섰다. 커튼 뒤에 숨어 눈물을 흘리던 어머니는 두 사람이 어둠 속으로 사라지자 실비네를 돌아보았다. 어젯밤 내내 동생과 헤어지는 것이 슬퍼 울다 잠든 실비네는 동생이 떠나는 줄도 모르고 곤히 잠들어 있었다.

카이요 씨는 쌍둥이 가운데 랑드리가 온 것이 기뻤다. 실비네보다 랑드리가 더 건강하고 일을 잘했기 때문이다. 마음씨 좋은 카이요 씨는 어려운 결정을 내린 랑드리를 칭찬하며 다독였다. 무척 슬픈 표정을 짓고 있는 랑드리를 위해 아침 식사를 푸짐하게 차리게 하고 마음을 달래

인사(人事) : 마주 대하거나 헤어질 때 예를 표함. 또는 그런 행동이나 말.

주려고 애썼다.

아침 식사를 마친 랑드리를 데리고 외양간으로 간 카이요 씨는 어떻게 하면 소를 잘 다룰 수 있는지 찬찬히 가르쳐 주었다. 랑드리는 집에서도 가끔 소를 돌보았기에 금방 알아들었다. 마을에서 가장 혈통이 좋고 튼튼한 카이요 씨의 소를 몰고 다닐 생각을 하니 으쓱했다.

바르보 씨는 랑드리에게 단단히 일렀다.

"카이요 씨의 말을 잘 듣고, 우리 집 소처럼 소들을 정성껏 돌봐야 한다."

"네, 열심히 할게요."

아버지가 돌아간 뒤 랑드리는 해가 저물 때까지 일을 했다. 무척 힘들고 피곤했지만 형과 헤어져 지내는 슬픔을 잊는 데 도움이 되었다.

집에 남은 실비네는 괴로운 하루를 보냈다. 실비네는 옆에서 자던 랑드리가 없어진 것을 믿을 수가 없었다. 작별 인사 한마디 없이 떠난 것이 슬프면서도 화가 났다.

실비네는 눈물을 펑펑 쏟으며 어머니에게 말했다.

"제가 뭘 잘못했죠, 어머니? 어머니께서 울지 말라고 하셔서 울지도 않았어요. 아침을 같이 먹기로 해 놓고서 한마디 말도 없이 떠나다니 이럴 수는 없어요. 짐도 내가 꾸려 주고 제 주머니칼도 주려고 했단 말이에요. 어머니께서는 알고 계셨지요?"

"실비네, 나는 아버지 말씀에 따랐을 뿐이란다."

랑드리가 실비네와 작별 인사라도 하고 떠났으면 좋았을걸. 나 같았어도 무척 슬펐을 것 같아.

어머니는 실비네를 달래 보았지만 소용없었다. 어머니가 울음을 터뜨리자 그제야 실비네는 어머니의 품에 안겨 죄송하다며 용서를 구했다.

그날 어머니가 잠시 집을 비운 사이 실비네는 랑드리를 만나러 푸르시 마을로 달려갔다. 길에서 아버지를 만나지 않았다면 실비네는 곧장 푸르시 마을까지 갔을 것이다. 아버지는 실비네를 잘 타일러서 데려왔다.

"저녁에 나랑 같이 가도록 하자, 실비네. 랑드리는 한창 일하고 있을 텐데 방해하면 주인이 싫어할 거야. 지금

네가 할 일은 슬퍼하는 어머니를 위해 참는 거야."

그날 저녁에 실비네는 아버지와 함께 프리시 마을로 갔다. 카이요 씨 집에서 다시 만난 실비네와 랑드리는 기뻐서 어쩔 줄 몰랐다. 하지만 랑드리는 겉으로 많이 드러내지는 않았다. 카이요 씨의 가족과 일꾼들이 쌍둥이에 대한 호기심(好奇心)이 가득한 눈빛으로 지켜보고 있었기 때문이다.

다음 날 카이요 씨는 랑드리에게 일요일이니 집에 다녀와도 좋다고 했다. 집으로 간 랑드리는 실비네와 잠시도 떨어지지 않았다. 랑드리가 떠날 시간이 다가오자 실비네는 또다시 울음을 터뜨렸다.

랑드리와 눈물의 이별을 한 실비네는 거의 날마다 랑드리를 찾아갔다. 랑드리 역시 집 근처에 갈 일이 있으면 잠시 들러 실비네와 만나 이야기를 나누었다.

랑드리는 새로운 생활에 차차 익숙해져 갔지만 실비네

호기심(好奇心) : 새롭고 신기한 것을 좋아하거나 모르는 것을 알고 싶어 하는 마음.

는 달랐다. 마음을 못 잡고 외로움과 슬픔에 빠져 온종일 랑드리 생각만 했다. 즐겁게 놀지도 않고, 일도 좀처럼 하지 않았다.

실비네는 매일같이 랑드리와 놀던 곳을 찾아다니며 함께 지내던 때를 그리워했다. 랑드리와 함께했던 지난날만 떠올리며 슬퍼하니 몸이 점점 약해졌다.

실비네, 동생처럼 의젓해 보라고!

나날이 건강이 나빠지는 실비네 때문에 바르보 씨 부부는 애가 탔다. 바르보 씨는 카이요 씨를 찾아가서 실비네가 랑드리와 함께 일하게 해 달라고 부탁해 보았다.

"여보게, 나도 형편이 좋진 않다네. 둘이나 일꾼으로 쓰기에는 부담스러워. 그리고 생각해 보게. 언젠가는 둘이 떨어져서 살아야 할 텐데, 이번이 좋은 기회 아닌가. 서로 떨어져서 사는 데 익숙해지게 해야 해. 실비네에게 일을 좀 시켜 보면 어떤가? 한 가지 일에 마음을 쏟다 보면 다른 생각이 없어질 거야."

바르보 씨는 카이요 씨의 말에 고개를 끄덕였다.

랑드리도 안타까웠다. 형이 하루빨리 마음을 잡을 수 있도록 이야기도 나누고 달래도 보았다. 하지만 아무 소용이 없었다. 그러는 사이 실비네의 마음속에는 랑드리에 대한 서운함과 질투가 커져만 갔다. 랑드리가 카이요 씨 가족을 자기 가족보다 더 좋아하는 것만 같았다. 자기는 늘 랑드리를 생각하는데, 랑드리는 그렇지 않은 것 같아서 섭섭하기도 했다. 랑드리가 다른 집 소를 정성을 다해 키우며 즐거워하는 것도 이해할 수가 없었다.

일하는 것을 좋아하는 랑드리는 잘 적응해 나갔다. 프리시 마을의 또래 아이들과도 잘 어울렸고, 카이요 씨의 아이들도 친동생처럼 귀여워했다.

그러나 실비네는 랑드리가 자기를 떠나서도 잘 지내는 것이 이해되지 않았다.

랑드리를 찾아왔다 돌아가던 실비네가 한마디 던졌다.

"랑드리, 날 너무 자주 만나니까 지겹지?"

랑드리는 형이 점점 왜 이러는지 도무지 알 수가 없었다. 아무리 형의 비위를 맞추려고 애를 써도 투정만 부리니 이제 랑드리는 실비네를 만나는 게 예전처럼 즐겁지 않았다.

"형, 좋아하는 마음이 지나치면 병이 될 수도 있어."

"뭐라고? 넌 어쩌면 그렇게 냉정冷情하게 말을 하니?"

쌍둥이 형제는 만나기만 하면 자주 말다툼을 벌였다. 한번 말다툼을 벌이면 실비네는 며칠 동안 랑드리를 찾아오지 않았다. 일요일이 되어 랑드리가 집에 가도 반겨 주지 않았다.

냉정冷情 : 태도가 정다운 맛이 없고 차가움.

3장

도깨비 요정 파데트

　어느 일요일, 실비네는 랑드리가 올 줄 알면서도 일부러 집에서 나갔다. 집에 온 랑드리는 실비네가 없는 것을 알고는 무척 서운해했다. 푸르시 마을 친구들과 재미있게 놀 수도 있었지만 형을 위해 포기하고 일요일마다 집에 왔다. 그런데도 형은 말싸움만 걸더니 오늘은 아예 나가 버린 것이었다. 랑드리는 가족 곁을 떠나 카이요 씨 집에 갈 때도 참았던 눈물을 흘렸다.

　랑드리는 부모님이 볼세라 집에서 떨어진 곳으로 가서 울음을 터뜨렸다. 한참을 울고 난 뒤였다. 가까이에서 어머니가 우는 소리가 들렸다.

"이 애는 왜 이렇게 내 속을 썩일까! 난 이 아이 때문에 죽고 말 거야!"

랑드리는 얼른 어머니에게 달려갔다.

"어머니, 저 때문에 그러세요? 울지 마세요. 뭣 때문에 그러시는지 모르겠지만 제발 저를 용서해 주세요!"

"너 때문이 아니란다. 글쎄, 실비네가 새벽에 나가서 들어오질 않는구나. 하루 종일 아무것도 먹지 않고 어디서 무엇을 하는지 걱정이 돼 죽겠어. 낮에 냇가에서 실비네를 본 사람이 있다는데 혹시 물에 빠져 죽은 건 아닌지 모르겠구나."

랑드리는 어머니를 안심시키고 형을 찾아 나섰다. 마을 곳곳을 찾아다녔지만 형은 보이지 않았다. 형이 즐겨 찾는 냇가 갈대밭에도 가 보았다. 형은 그곳에도 없었다.

"형! 실비네 형!"

큰 소리로 불러도 아무 대답이 없었다. 빠르게 흘러가는 물소리와 풀잎을 스치고 지나가는 바람 소리만 들릴 뿐이었다.

랑드리는 점점 불길한 생각이 들었다. 눈물이 그렁그렁
한 눈으로 여울져 흐르는 냇물을 바라보았다.

'냇물 가장 깊은 곳에 빠지면 쉽게 헤엄쳐 나올 수 없
을 텐데……. 어쩌지? 형이 여기 빠졌을까?
아, 형!'

랑드리는 가엾은 형을 생각하며 펑펑 울
었다. 태어나서 가장 슬픈 날이었다.

실비네는 도대체
어딜 간 거야?
가족들 속도 어지간히
썩이는군.

그때 갈대밭 끝자락의 오두막에 사는 파데
할머니가 떠올랐다. 마을 사람들은 병이 나
거나 불행한 일이 닥치면 파데 할머니를 찾
아갔다. 사람들은 파데 할머니가 마법사처
럼 신비神秘한 힘이 있다고 믿었다.

"파데 할머니는 마법사예요. 병도 잘 고칠 뿐 아니라
없어진 사람이나 물건도 척척 찾아 준다지 뭐예요."

신비(神秘) : 일이나 현상 따위가 사람의 힘이나 지혜 또는 보통의 이론이나 상식
으로는 도저히 이해할 수 없을 만큼 신기하고 묘함.

"밀알 한 톨을 물에 던져 넣고 주문을 외우자 글쎄 물에 빠져 죽은 사람의 시체가 떠오르더라니까요!"

랑드리는 파데 할머니의 오두막으로 달려갔다. 그러나 파데 할머니는 쌀쌀맞게 대하며 랑드리를 내쫓았다.

"네 부모는 내가 없이 산다고 나를 무시하는데 내가 왜 너를 도와주어야 하지? 어서 내 집에서 썩 나가!"

파데 할머니는 랑드리네 집안에서 아기가 태어날 때마다 자기를 부르지 않고 늘 사제트 할머니에게 부탁하는 것을 못마땅하게 생각했다.

낙담한 랑드리는 말없이 돌아 나왔다. 수영을 할 줄 모르지만 자기가 직접 물속으로 들어가 봐야겠다고 결심했다. 고개를 숙이고 타박타박 걸어가는데 누군가 어깨를 툭 쳤다. 돌아보니 파데 할머니의 손녀 파데트가 짓궂은 표정으로 서 있었다.

사람들은 파데트도 얼마쯤은 요술쟁이라고 생각했다. 파데트라는 이름 때문이기도 했다. '파데트'라는 말은 '도깨비'나 '작은 요정'을 뜻했다. 이름이 아니라도 파데

트를 보면 누구나 개구쟁이 요정을 떠올렸다.

작고 깡마른 파데트의 머리는 늘 헝클어져 있었다. 또래 여자아이들과는 달리 겁이 없었고, 종알종알 떠들고 다니며 사람을 놀려 대고는 잽싸게 도망을 쳤다.

마을 아이들은 얼굴이 지저분하고 까만 파데트를 '귀뚜라미!'라고 불렀다. 놀리려는 뜻도 있었지만 조금은 친근하게 여기며 그렇게 불렀다. 아이들은 파데트가 재미있는 이야기도 많이 알고 있고, 재미있는 놀이를 만들어 내는 재주도 있었기 때문에 파데트를 싫어하지는 않았다.

파데트의 진짜 이름은 프랑스와즈였는데, 할머니는 늘 '팡숑!'이라고 불렀다.

쌍둥이 형제는 파데트와 별로 친하지 않았다. 한번도 같이 어울려 논 적이 없었다. 파데트의 남동생 자네하고도 친하게 지내지 않았다.

자네의 별명은 '메뚜기'였는데, 태어날 때부터 다리를 절었다. 파데트처럼 천방지축 개구쟁이에 누나 뒤만 졸졸 따라다녔다.

사람들, 특히 바르보 씨는 파데트와 자네 같은 아이들과 어울려 다니면 좋지 않은 일이 생긴다고 여겼다. 하지만 파데트와 자네는 쌍둥이 형제만 보였다 하면 멀리서도 후닥닥 달려와 놀려 댔다.

랑드리는 툭 친 사람이 파데트인 것을 알고는 그냥 가려고 했다. 장난치며 상대할 기분이 아니었다. 파데트가 또다시 어깨를 툭 쳤다.

"야, 쌍둥이! 네 반쪽을 잃어버렸다며? 반쪽을 잃어버린 반쪽아! 히히!"

랑드리는 도저히 참을 수가 없어서 파데트에게 힘껏 주먹을 날렸다. 어느새 열다섯 살이 된 랑드리는 제법 힘이 셌다. 만일 파데트가 그대로 맞았다면 크게 다쳤을지도 몰랐다.

랑드리, 아무리 화가 나도 폭력을 쓰면 안 돼!

파데트는 열네 살이었지만 작고 약해서 열두 살 정도로 보였다. 하지만 몸이 재빠른 파데트는 랑드리의 주먹을 살짝 피했다.

"이 못된 귀뚜라미야! 슬픔에 빠져 있는 사람을 놀리다니 넌 정말 못됐어. 옛날부터 날 반쪽이라고 놀리며 화나게 했지. 두고 봐. 가만두지 않을 거야."

"잘생긴 쌍둥이 도련님! 네 반쪽인 형이 어디 있는지 가르쳐 주려고 왔는데 싫은가 보지?"

"뭐, 정말이야? 실비네 형이 어디 있는지 알아?"

"흥! 날 때리려고 할 때는 언제고 이제 와서 도와 달라고? 어디 혼자서 잘 찾아보시지."

"뭐라고? 어유, 네 말을 믿은 내가 멍청이지. 네 까짓게 어떻게 알겠어?"

랑드리는 다시 냇가를 향해 걸어갔다. 파데트는 랑드리를 쫓아오며 놀렸다. 자기 도움이 없이는 형을 못 찾을 거라며 종알종알 시끄럽게 떠들었다. 랑드리는 파데트가 계속 훼방을 놓을 것만 같아 일단 집으로 돌아가기로 했다.

집 가까이에 온 랑드리가 목장의 울타리를 훌쩍 뛰어넘자 파데트가 소리쳤다.

"그래, 형을 버리고 혼자 잘 살아 보라지! 아무리 기다려도 네 반쪽인 형은 절대로 돌아오지 않을걸. 오늘 밤에는 거센 폭풍우暴風雨가 휘몰아칠 거야. 그럼 불어난 냇물이 실비네를 삼켜 버리고 말걸."

랑드리는 파데트의 말을 흘려듣고 싶었지만 아무래도 신경이 쓰였다.

"파데트, 제발 부탁인데 네가 형이 있는 곳을 알고 있다면 가르쳐 주고, 아니면 날 그만 놀리고 가 줄래?"

파데트는 실비네가 있는 곳을 정말 알고 있나 봐!

"가르쳐 주면 뭘 줄 건데? 비가 쏟아지기 전에 형을 찾게 해 주면 말이야."

"뭘 줄까? 이 주머니칼 가질래?"

"고작 주머니칼이야? 너희 집 암탉을 줘."

"그건 내 마음대로 약속할 수 없어. 하지만 형을 찾을 수 있게 도와준다면 어머니나 아버지께서도 무엇이든 네게 주라고 허락하실 거야."

폭풍우(暴風雨) : 몹시 세찬 바람이 불면서 쏟아지는 비.

"그럼 염소도 주실까?"

"제발, 파데트! 빨리 형이 어디 있는지 알려 줘. 형을 찾아 주기만 하면 뭐든 주실 거라니까. 약속할게. 날 믿어 줘."

"좋아. 널 믿어 볼게."

파데트는 약속하라는 듯이 손을 내밀었다. 랑드리가 손을 잡자 파데트의 눈이 반짝거렸다.

"나중에 내가 원하는 걸 말할게. 지금은 내가 무엇을 원하는지 나도 잘 모르겠어. 대신 약속을 어기면 절대 안 돼. 온 마을에 소문을 낼 거야. 네가 거짓말쟁이라고."

"약속할게. 그럼 이제 형이 어디 있는지 가르쳐 줘."

"냇물을 따라 쭉 내려가다 보면 아기 양의 울음소리가 들릴 거야. 틀림없이 거기 네 형이 있어. 만약에 없으면 약속은 안 지켜도 돼."

랑드리는 곧장 냇가로 달려갔다. 숨이 턱에 차도록 한참을 냇가 옆을 달렸다. 정말 어디선가 아기 양의 울음소리가 들렸다. 울음소리를 따라가니 형이 보였다. 실비네

는 냇물 건너편에서 길 잃은 아기 양을 안고 있었다.

랑드리는 동생이 찾으러 다녔다는 걸 알면 실비네가 겸 연쩍어 할까 봐 마치 산책을 나온 사람처럼 휘파람을 불 며 냇가 주위를 서성거렸다. 실비네는 휘파람 소리에 고 개를 들었다. 동생을 본 실비네는 부끄러운 생각이 들어 벌떡 일어났다.

"형! 거기 있었어? 바람이나 쐬려고 나왔는데 형을 여 기서 만나네. 우리 집에 같이 갈까?"

랑드리는 실비네가 토라져서 집을 나갔다는 사실을 모르는 척하기 위해 일부러 딴청 을 했다.

비가 오기 전에 실비네를 찾게 해 준다더니, 파데트는 정말 요술쟁이인가?

"형, 비가 오려나 봐!"

갑자기 어두워진 하늘에서 천둥소리가 요란하게 울려 퍼졌다.

'폭풍우가 몰아친다더니 정말이네. 파데트는 정말 희한한 아이야. 우리가 모르는 무언가를 알고 있어.'

실비네가 냇물을 건너오자 랑드리는 와락 달려들어 형을 꼭 껴안았다. 랑드리는 실비네의 두 손을 꼭 잡고 걸었다. 파데 할머니의 오두막 앞을 지날 때 파데트에게 고맙다는 인사를 하려고 기웃거려 보았지만 문이 꼭 닫혀 있었다. 안에서는 파데 할머니가 야단치는 소리와 자네의 우는 소리만 들려왔다.

"랑드리, 이 집은 정말 이상해. 만날 야단치는 소리와 우는 소리밖에 안 들린다니까. 부모도 없이 야단만 치는 할머니 밑에서 사는 귀뚜라미와 메뚜기가 너무 가여워."

"형, 우리 부모님은 우리가 아무리 잘못을 해도 다정하게 타일러 주시잖아. 세상엔 우리처럼 행복한 아이들도 없을 거야. 파데트는 저렇게 불행한데도 불평不平 한마디 하지 않고 언제나 명랑해. 그렇지, 형?"

랑드리의 말은 그러잖아도 미안함과 후회로 가득한 실비네의 마음을 찔렀다. 실비네는 아무 말 없이 눈물을 흘

불평(不平) : 마음에 들지 아니하여 못마땅한 것을 말이나 행동으로 드러냄.

렸다. 랑드리는 형의 손을 더욱 힘있게 잡았다.

"형, 빗발이 굵어졌어. 집까지 달려갈까?"

쌍둥이 형제는 집을 향해 달렸다.

집에 돌아온 실비네를 본 아버지와 어머니는 전혀 나무라지 않았다. 실비네는 부끄러워 헛간에라도 숨고 싶었다. 랑드리와 난롯가에 앉아 젖은 옷을 말리던 실비네는 저녁을 준비하는 어머니의 눈에서 눈물이 흘러내리는 것을 보자 마음이 무척 아팠다.

저녁을 먹고 난 랑드리는 형 실비네가 잠이 든 것을 보고는 플리시 마을로 돌아갔다.

그 일이 있은 뒤로 실비네는 동생을 괴롭히지 않으려고 노력했다. 동생을 피해 집을 나온 자신을 랑드리가 용서해 주지 않을 것 같아 냇물에 빠져 죽고 싶은 심정이었는데 랑드리는 아무 일 없었다는 듯 따뜻하게 자신을 대해 주었다.

실비네는 차츰차츰 달라져 갔다. 랑드리에게 화도 잘 내지 않고 서운한 마음이 들어도 토라지지 않았다. 야위

었던 몸도 많이 튼튼해졌다. 아버지가 시키는 일도 힘닿는 대로 열심히 했다.

1년이 흐른 뒤, 쌍둥이 형제의 모습은 서로 많이 달라졌다. 늘 열심히 일하는 랑드리는 키도 크고 힘도 세져 늠름한 청년 티가 났다. 그에 비해 실비네는 키도 별로 크지 않았고 얼굴색도 좋지 않았다. 랑드리에 비해 아직 어린아이 같은 모습도 남아 있었다. 이제 랑드리와 실비네는 쌍둥이처럼 보이지 않았다. 모르는 사람이 보면 랑드리가 한두 살 더 많은 형인 줄 알았다.

랑드리는 남의 집에서 일꾼으로 일하며 씩씩한 청년이 되어 가는데 실비네는 아직도 소년티를 벗지 못했어.

4장
귀뚜라미와 춤을!

 랑드리는 파데트와 한 약속이 떠오를 때마다 걱정이 태산泰山 같았다. 파데트가 원하는 것을 받기 위해 집에 왔다가 아버지에게 내쫓기는 건 아닐까 조마조마했다. 아버지는 형 실비네가 집을 나갔던 일을 대수롭지 않게 여기는 듯했다. 파데트와 한 약속도 별로 중요하게 여길 것 같지 않았다. 하지만 랑드리는 약속을 꼭 지키고 싶었다.

 그러나 이상한 일이었다. 파데트는 하루가 지나고 이틀이 지나고 달이 가고 계절이 바뀌어도 찾아오지 않았다.

태산(泰山) : 크고 많음을 비유적으로 이르는 말.

멀리서 랑드리를 봐도 달려오지 않았다. 랑드리만 보면 쫓아와서 놀리고 괴롭히던 파데트였는데 이상했다.

어느 날은 계곡에서 거위를 몰고 가는 파데트와 딱 마주쳤다.

'파데트가 약속을 지키라고 다그칠 텐데 어쩌지?'

그러나 파데트는 아무 말도 하지 않고 얼굴이 새빨개져서 안절부절못하는 랑드리 옆을 휙 지나쳐 갔다. 그 뒤로도 가끔 마주쳤지만 파데트는 모르는 척하며 지나갔다. 파데트를 피해 다니던 랑드리는 이제 파데트를 봐도 두렵지 않았다. 한 번은 용기를 내서 파데트를 똑바로 쳐다보았다. 그런데 파데트가 먼저 고개를 휙 돌렸다.

랑드리는 곰곰이 생각했다.

'파데트가 형을 찾을 수 있도록 도와주었는데 난 지금껏 고맙다는 인사 한마디 건네지 않았어. 다음에 만나면 꼭 고마웠다고 말해야지.'

또다시 파데트와 마주쳤을 때 랑드리는 성큼성큼 다가갔다. 파데트는 잔뜩 화가 난 얼굴로 랑드리를 째려보았다. 기가 죽은 랑드리는 말 한마디 건네지 못하고 돌아서야 했다.

'내가 약속을 지키지 않아서 화가 난 걸까?'

그날 이후로 랑드리는 파데트와 한 번도 마주치지 않았다. 파데트가 늘 피했기 때문이다. 파데트는 먼발치에서 랑드리가 보이기만 하면 옆길로 돌아가거나 남의 집 농장이나 안마당을 가로질러 피해 버렸다.

파데트는 또래 여자아이들과는 참 많이 달랐다. 엉뚱한 짓을 저질러 남을 골탕 먹이는 장난을 좋아했다. 골탕을 먹은 사람이 욕을 하면 더 심한 말로 마구 쏘아붙였다. 마을 사람들은 그런 파데트를 보며 수군거렸다.

"저 아이는 이다음에 커서 남편과 자식을 버리고 집을 나간 자기 어머니하고 똑같은 여자가 될 거야!"

파데트의 어머니는 자네를 낳고 얼마 뒤에 남편과 아이들을 두고 떠났다. 아버지도 얼마 뒤에 숨을 거둬 파데 할머니가 두 아이를 거두었다. 파데 할머니는 지독히도 돈을 아끼는 데다 또 많이 늙기도 해서 아이들을 잘 돌볼 수 없었다. 그래서 파데트와 자네는 늘 지저분한 얼굴과 옷차림으로 다녀야 했다.

이런저런 이유로 랑드리는 파데트를 싫어했다. 파데트와 약속을 한 게 후회가 돼 실비네에게도 말하지 않았다. 그러는 사이 계절이 바뀌었다. 랑드리는 파데트와 한 약속을 까맣게 잊고 지냈다.

랑드리가 일하며 지내는 프리시 마을에 축제가 열렸다. 실비네도 축제에 참석해 춤을 추며 흥겹게 놀았다. 랑드리는 아름다운 마들렌과 춤을 추었다. 마들렌은 카이요 씨의 조카딸이었다. 랑드리는 마을에서 가장 인기 많고 매력魅力적인 마들렌에게 마음이 끌렸다. 그러나 실비네는 질투하지 않았다. 랑드리가 마들렌한테 푹 빠진 것처럼 보이지 않았기 때문이다.

랑드리, 아무리 보잘것없는 약속이라도 약속은 반드시 지켜야 하는 거라고!

매력(魅力) : 사람의 마음을 사로잡아 끄는 힘.

코스 마을에서도 축제가 열렸다. 일을 마친 랑드리는 코스 마을에 가기 위해 카이요 씨 집을 나섰다. 가을이라 해가 많이 짧아져 어느새 주위가 어둑어둑해졌다. 냇가에 도착한 랑드리는 바지를 걷어 올리고 가장 얕은 곳을 찾아 조심스럽게 냇물을 건넜다.

어느새 앙상해진 나뭇가지 사이로 파데 할머니의 오두막에서 새어 나오는 불빛이 반짝거렸다. 늘 건너 다니던 길인데 뭔가 이상했다.

'발목까지 차던 물이 오늘은 왜 무릎까지 차오르지?'

랑드리는 더 위쪽으로 올라가 보았다. 거기도 마찬가지로 물이 깊었다. 아래쪽으로 걸음을 옮기던 랑드리는 그만 깊은 웅덩이에 빠지고 말았다. 정신을 차린 랑드리가 주위를 휘 둘러보았다.

'어, 이상하다! 파데 할머니네 집 불빛이 왜 오른쪽에 있지? 아까는 분명 왼쪽에 있었는데……. 길을 잘못 들었나 봐!'

랑드리는 냇물을 거슬러 올라갔다. 이미 컴컴해진 주변

의 나무와 숲을 한참 둘러보던 랑드리는 눈에 익숙한 길을 찾아 냇물을 건너려는 순간 파데 할머니네 집 불빛이 보이지 않았다. 얼른 돌아서니 불빛은 뒤에 있었다. 불빛으로 방향을 잡은 랑드리가 다시 냇물을 건너려는 순간 이번에는 물이 어깨까지 차올랐다.

그때였다. 파데 할머니네 집에서 새어 나오는 불빛이 갈대밭을 오르락내리락하며 이쪽저쪽으로 옮겨 다녔다. 불빛은 냇물에도 비쳐 두 개로 보였다. 나뭇가지가 불에 타듯 탁탁탁 소리도 났다.

'내가 도깨비불에 홀렸나 봐!"

냇물 밖으로 고개만 내밀고 있던 랑드리는 무서워서 벌벌 떨었다. 있는 힘을 다해 간신히 물 밖으로 나온 랑드리는 풀숲에 쓰러졌다. 춥기도 하고 무섭기도 해서 꼼짝도 할 수가 없었다.

그때 뒤쪽에서 노랫소리가 들려왔다. 깜짝 놀란 랑드리

도깨비불은 곤충이나 조류 등이 빛을 내는 경우나 야간에만 생기는 빛의 이상굴절 현상 등으로 나타나지. 사실 도깨비하고는 아무 관계도 없단다.

가 고개를 돌려 살펴보니 파데트였다. 파데트는 경쾌한 걸음걸이로 냇물을 건너오고 있었다. 냇물을 다 건넌 파데트가 랑드리를 발견하고는 깜짝 놀랐다.

"어머, 깜짝이야! 거기 누구야?"

"파데트! 나야, 랑드리. 놀라지 마."

"흥, 쌍둥이구나! 왜 목소리가 덜덜 떨리지? 겁을 먹은 모양이네. 혼자서는 절대로 냇물을 못 건널 것 같은걸."

"맞아. 도깨비불에 홀려서 물에 빠져 죽을 뻔했어."

파데트는 웃음을 터뜨렸다.

"도깨비는 겁이 많은 사람한테만 장난을 쳐. 난 도깨비를 날마다 봐서 친해졌어."

파데트는 랑드리의 손을 잡고 함께 강을 건너 주었다.

랑드리는 도깨비와 친구라는 요술쟁이의 손을 잡고 냇물을 건너는 것이 으스스했지만 별수 없는 노릇이었다.

'도깨비보다는 요술쟁이 파데트가 낫겠지.'

냇물을 다 건넌 랑드리는 파데트를 놔두고 얼른 달아나고 싶었다. 하지만 고맙다는 인사는 해야 했다.

"고마워. 벌써 두 번이나 날 도와줬구나. 난 제정신이 아니었어. 네가 없었으면 냇물을 못 건넜을 거야. 어쩌면 물에 빠져 죽었을지도 몰라."

"다 큰 남자애가 그렇게 무서워하다니, 벌벌 떠는 꼴이 참 고소하던걸."

"뭐, 고소하다고? 왜 그렇게 생각하는 거지?"

"넌 나쁜 사람이니까. 너뿐 아니라 네 형, 아버지, 어머니, 부자라고 잘난 척하는 사람들은 모두 남의 도움을 당연하게 생각하지. 너도 그렇게 배웠나 보지? 남의 도움을 받으면 언제 그랬느냐는 듯이 다 잊으라고 말이야. 남자로서 겁쟁이 다음으로 가장 부끄러운 짓이야."

파데트는 랑드리가 고맙다는 인사를 하지 않아 화가 나 아무 말도 하지 않은 거였어.

파데트의 말이 옳아 랑드리는 너무 부끄러웠다.

"파데트, 내가 잘못했으니까 나만 탓해. 우리 가족은 지난번에 네가 형을

찾도록 도와준 걸 몰라. 이제 말할게. 네가 바라는 걸 줄
수 있을 거야."

"흥! 아주 착한 생각이야. 하지만 필요 없어. 원하는 물
건만 주면 끝인 줄 알아? 우리 할머니랑 내가 똑같은 사람
이라고 생각하는 것 같은데, 착각_{錯覺}하지 마. 도와준 것도
다 잊고 고맙다는 말도 없는 사람한테 뭘 바라겠어?"

"내가 잘못했어. 그렇지만 너도 잘못은 있어. 네가 정
말 마음이 곱다면 처음부터 형이 어디 있는지 빨리 가르
쳐 줬어야지. 끝까지 약 올리다가 내게 약속을 받아 낸 다
음에야 가르쳐 줬잖아."

파데트는 잠시 생각을 하다가 말했다.

"고맙다는 말은 절대 안 하네. 난 사실은 아무 대가도
바라지 않았어. 널 탓하지도 않았고."

"만나면 고맙다고 말하고 싶었는데 네가 너무 쌀쌀맞
게 굴어서 그랬어."

착각(錯覺) : 어떤 사물이나 사실을 실제와 다르게 지각하거나 생각함.

"나를 찾아와서 고맙다는 말 한마디만 했다면 그렇게 쌀쌀맞게 굴지 않았을 거야. 내가 아무 대가도 안 바란다는 것도 알았을 거고. 그럼 어쩌면 우린 친구가 됐을지도 몰라. 뭐 이제 다 지나간 일이지만. 안녕, 잘 가!"

랑드리는 다시 노래를 부르며 걸어가는 파데트를 붙잡았다.

"내 마음이 얼마나 불편한지 알아? 뭘 원하니? 암탉? 새끼 양? 말만 해. 이번에는 꼭 갖다 줄게."

"뭘 원하느냐고? 다시는 널 안 보는 거. 암탉이든 새끼 양이든 가져오기만 해 봐. 냇물 속에 던져 버릴 테니까."

"그러지 말고 말해 봐. 어떻게 하면 화가 풀리겠니?"

"너 나한테 정식으로 사과(謝過)하고 친구가 되고 싶은 마음은 없는 거지?"

"지금 이렇게 진심으로 용서를 구하고 있잖아. 하지만 너처럼 별난 아이하고 어떻게 친구가 될 수 있겠니? 그러

사과(謝過) : 자기의 잘못을 인정하고 용서를 빎.

지 말고 네가 원하는 걸 어서 말해."

파데트는 랑드리를 노려본 뒤에 또박또박 말했다.

"좋아! 그렇다면 분명히 말하겠어. 네 말대로 내가 바라는 걸 말하겠어. 네가 말하라고 했으니까 너도 꼭 지키기 바란다. 내가 바라는 건 이거야. 내일 축제 때 나랑 춤을 추는 거. 미사를 마친 뒤에 세 번, 저녁 기도 뒤에 두 번, 자정을 알리는 종이 울리고 난 뒤에 두 번, 다 해서 일곱 번! 그리고 절대로 다른 여자랑 춤추지 않기. 알았지? 내일 성당 앞에서 기다릴게. 나랑 가장 먼저 춤추는 거 절대 잊으면 안 돼. 그럼 잘 가!"

랑드리는 대답을 할 수가 없었다. 처음에는 어처구니가 없어서 피식 웃음만 나왔다. 파데트는 별난 아이이기는 해도 욕심慾心은 없는 것 같았다.

그런데 곰곰이 생각해 볼수록 앞이 캄캄했다. 파데트가 바라는 건 암탉이나 새끼 양을 주는 것보다 훨씬 더 어려

욕심(慾心) : 분수에 넘치게 무엇을 탐내거나 누리고자 하는 마음.

운 일이었다. 파데트는 춤을 잘 추기는 했다. 양치기들과 춤추는 모습을 본 적이 있는데, 너무 빨라서 상대방이 따라가기가 힘들 정도였다.

하지만 랑드리 또래의 남자아이들은 아무도 파데트와 춤추려고 하지 않았다. 파데트가 못생긴 데다 더러운 옷을 입고 다녔기 때문이다. 여자들도 그런 파데트를 춤추는 자리에 끼워 주지 않았다.

못생기고 지저분해서 따돌림을 당하는 파데트와 춤을 추는 게 내키지는 않겠어.

랑드리는 남들이 다 꺼리는 상대와 춤을 춰야 한다는 사실이 부끄러웠다. 게다가 마들렌과 세 번 춤추기로 약속한 게 떠올랐다. 춤을 청하지 않으면 토라질 마들렌의 얼굴이 떠올라 걱정스러웠다.

춥고 배가 고프기도 해서 랑드리는 얼른 집으로 돌아갔다. 가족한테는 냇물에 빠져 죽을 뻔했다는 것과 파데트 이야기는 하지 않고 잠자리에 들었다.

다음 날, 랑드리는 미사를 올리러 성당에 갔다. 파데트는 벌써부터 성당 문 앞에서 기다리고 있었다. 옆에는 오늘따라 더 눈부시게 아름다운 마들렌이 있었다. 랑드리가 마들렌에게 다가가자 파데트가 말을 꺼냈다.

"랑드리! 어젯밤 나랑 약속했지? 나랑 가장 먼저 춤추겠다고."

얼굴이 시뻘게진 랑드리가 마들렌과 파데트의 얼굴을 번갈아 바라보며 우물쭈물 말했다.

"너보다 먼저 약속한 사람이 있어. 그 사람이랑 춤추고 난 뒤에 너랑 출게."

파데트는 딱 잘라 말했다.

"안 돼. 랑드리, 넌 정말 기억력이 안 좋은가 보구나. 사실 넌 나랑 지난해에 약속했잖아. 어젯밤에는 다짐을 한 것뿐이고. 마들렌이 너랑 춤추고 싶다면 너랑 꼭 닮은 쌍둥이 형이랑 추라고 그래."

"알았어. 난 실비네와 춤을 출게."

잔뜩 화가 난 마들렌이 쌀쌀맞은 목소리로 말하고는 실비네에게 다가가 같이 춤을 추자고 했다.

순진純眞한 실비네는 아무것도 모르고 마들렌의 손을 잡으며 말했다.

"넷이서 같이 추자."

랑드리와 짝이 된 파데트는 우아優雅하게 춤을 추었지만 너무 형편없는 옷을 입고 와서 아무도 부러워하지 않았다. 마을의 아가씨들이 한껏 멋을 내고 왔기 때문에 파데트는 보통 때보다 더 초라해 보였다. 오래된 모자는 누렇게 색이 바랜 데다 치마는 깡뚱했다. 유행이 지난 빨간색 앞치마는 어머니의 것을 줄여서 만든 것이었다.

파데트는 다른 아가씨들과 달리 멋을 부릴 줄 몰랐다. 꾸미는 데는 전혀 관심이 없었고, 놀고 장난치는 재미에만 빠져 남자아이처럼 살아왔다. 사람들은 파데트가 꼴사납게 입고 다니는 건 할머니가 구두쇠인 데다 파데트도 옷차림에 관심이 없어서라고 했다.

순진(純眞) : 마음이 꾸밈이 없고 순박함.
우아(優雅) : 고상하고 기품이 있으면서 아름다움.

랑드리는 너무 창피해서 마들렌을 쳐다볼 수도 없었다.
실비네는 랑드리가 왜 파데트와 춤을 추는지 이해할 수
없었다. 랑드리는 연기처럼 사라지고 싶은 마음뿐이었다.
파데트만 빼고 나머지 세 사람은 얼굴이 잔뜩 굳은 채로
억지로 춤을 추었다.

랑드리는 더 이상 참을 수가 없어서 첫
번째 춤을 추고 난 뒤 재빨리 숨었다. 파데
트는 동생이랑 아이들을 잔뜩 끌고 시끄럽
게 랑드리를 찾으러 다녔다. 어쩔 수 없이 랑
드리는 파데트와 또 춤을 추어야 했다. 랑드리
는 마들렌과 실비네가 없는 곳으로 가 얼른
약속대로 춤을 추었다.

그래도 랑드리는
착한 것 같지 않니?
창피를 무릅쓰고 약속을
지켜 파데트와 춤을
추고 말이야.

파데트와 세 번째 춤을 추고 난 랑드리는 마
들렌에게 다가갔다. 마들렌은 쌀쌀맞게 굴면서 큰
소리로 말했다.

"어머, 저녁 기도 종이 울리네. 기도를 마치고 나서 이
번엔 누구랑 춤출까?"

마들렌은 랑드리가 나서 주기를 바라고 한 말이었다. 그러나 랑드리가 우물쭈물하는 사이 다른 남자들이 마들렌에게 춤을 청했다. 다른 남자들과 즐겁게 춤추는 마들렌을 랑드리는 슬픈 눈으로 바라보았다. 약속을 못 지킨 까닭을 털어놓아야겠다고 마음먹고 마들렌에게로 가 손을 잡아끌었다.

"랑드리, 이제 와서 나랑 춤을 추자면 내가 출 것 같아?"

"아니, 마들렌, 춤을 추자는 게 아니고 너한테 할 이야기가 있어."

마들렌, 랑드리를 무시했다가 나중에 후회할걸.

"그래? 그런데 어떡하지? 난 듣고 싶지 않은데. 그리고 넌 귀뚜라미와 춤을 추느라 피곤한 것 같은데 그만 집에 가서 자지 그러니?"

마들렌은 춤을 청하러 온 다른 사내아이의 손을 잡고 가며 중얼거렸다.

"흥, 내가 자기하고 춤을 출 줄 알았나 봐!"

화가 난 랑드리는 다른 사내아이와 웃으며 춤을 추는 마들렌을 노려보았다.

조금 있다가 마들렌이 랑드리에게 다가왔다. 이번에는 랑드리도 무시하는 눈빛으로 쳐다보았다.

"랑드리, 여기서 뭐 해? 춤출 사람이 없어? 왜, 귀뚜라미랑 추면 되잖아? 어서 귀뚜라미한테나 가 봐."

"안 그래도 그럴 거야. 파데트처럼 춤을 잘 추는 사람은 보지 못했거든."

랑드리는 마들렌 앞에서 파데트와 춤을 추었다. 파데트는 기뻐하며 멋지게 춤을 추었다. 그때였다.

"못생긴 귀뚜라미!"

"정신을 홀리는 요술쟁이!"

"마녀! 도깨비!"

몇몇 아이들이 파데트를 놀리기 시작했다. 랑드리와 춤추는 파데트의 옷소매를 잡아끌며 넘어뜨리려고도 했다.

랑드리는 참을 수가 없었다. 파데트가 그렇게 놀림을 받을 정도로 나쁜 짓을 한 것도 아닌데 너무한다 싶었다.

그리고 어쨌든 파데트는 자기와 춤을 추는 상대였다.

랑드리는 야릇한 표정으로 바라보는 마들렌과 마을 아이들에게 다가가 소리쳤다.

"왜 그렇게 쳐다봐? 파데트와 춤을 추고 싶어서 춘 건데 왜 아무 죄 없는 파데트를 못살게 구는 거지?"

랑드리는 파데트의 손을 붙잡고 말했다.

"파데트, 우리 다시 춤을 추자."

울고 있던 파데트는 고개를 저었다. 하지만 랑드리는 물러서지 않았다.

"안 돼! 더 추어야 해. 그래야지 아이들이 널 못살게 굴지 않을 거야."

랑드리는 파데트의 손을 잡고 다시 춤을 추었다.

파데트가 랑드리의 귓가에 속삭였다.

"랑드리, 고마워. 이제 나와의 약속은 모두 지킨 거야."

5장
진실한 마음

랑드리는 저녁을 먹으러 실비네와 함께 집으로 돌아갔다. 왜 파데트와 춤을 추었는지 실비네가 궁금해해 랑드리는 어젯밤에 물에 빠져 죽을 뻔한 이야기와 파데트와 춤추기로 한 약속을 말해 주었다. 하지만 파데트가 집을 나간 실비네를 찾도록 도와준 이야기는 하지 않았다.

"어쨌든 약속을 지킨 건 잘한 일이야. 하지만 그 요술쟁이 계집애가 널 골탕 먹이려고 기다리고 있다가 도깨비불을 불러낸 걸 거야. 요술을 부린 거라고."

랑드리는 실비네의 말이 맞는 것도 같았다.

축제는 밤늦도록 계속되었지만 랑드리는 다시 춤추러

가고 싶은 마음이 들지 않았다. 대신 형을 도와 소를 돌보러 갔다. 밤이 이슥해서야 랑드리는 푸르시 마을로 돌아가기 위해 집을 나섰다.

"랑드리, 파데트가 또 도깨비불로 장난을 칠지도 모르니까 냇가 쪽으로 가지 말고 물방앗간 옆에 있는 나무다리 쪽으로 돌아서 가는 게 어떻겠니?"

랑드리는 형의 말대로 물방앗간 쪽으로 걸어갔다. 멀리서 축제를 즐기는 사람들의 왁자지껄한 소리와 음악 소리가 들려와 무섭지는 않았다.

한적閑寂한 오솔길을 따라 걷는데 어디선가 새 울음소리와 비슷한 소리가 들렸다.

"밤에 웬 새가 울지?"

랑드리가 가까이 다가가니 사람이 우는 소리였다.

"거기 누구 있어요?"

다리가 후들거렸지만 랑드리는 용기를 내 소리쳤다. 아

한적(閑寂) : 한가하고 고요함.

무 대답이 없었다.

"어디 아프세요?"

다시 물어도 대답이 없었다.

그냥 가려던 랑드리는 혹시나 해서 주변을 살폈다. 자세히 보니 오솔길 옆 풀숲에 사람이 누워 있는 게 보였다. 랑드리는 무서웠지만 다친 사람이면 도와줘야 한다는 생각에 용기를 냈다. 랑드리가 다가가자 누워 있던 사람이 부스스 일어나 고개를 들었다. 파데트였다.

랑드리는 또 파데트를 만나서 짜증이 나기도 했지만 가여운 생각이 들었다.

"귀뚜라미, 여기서 왜 울어? 또 누가 괴롭혔어? 아님 놀렸어?"

말괄량이 파데트가 왜 몰래 숨어서 울고 싶었던 걸까?

"아냐, 네가 날 위해 용감하게 나서 준 뒤로 아무도 날 괴롭히지 않았어. 그냥 아무도 몰래 숨어서 울고 싶었어. 슬픈 모습을 다른 사람한테 보이는 건 바보나 하는 짓이니까."

"왜 울고 싶었는데? 놀려 대는 아이들 때문에 속상해서? 그건 네 잘못도 있어."

"내 잘못이 뭐야? 너랑 춤추고 싶어서 춤추자고 한 게 잘못이야? 나는 다른 여자아이들처럼 춤추면 안 돼?"

"그 말이 아니야. 내 말은 네가 오늘 한 행동이 아니라 오래전부터 네가 해 온 행동을 말하는 거야. 알아?"

"몰라. 그게 뭔지 잘 모르겠어. 하지만 나 때문에 네가 우스운 꼴을 당한 건 미안하게 생각하고 있어."

"파데트, 난 널 원망하지 않으니까 그건 걱정하지 않아도 돼. 내가 아니라 너에 대해서 얘기해 보자. 넌 너 자신의 나쁜 점을 하나도 모르는 것 같아. 친구로서 내가 네 단점을 말해 줘도 괜찮겠니?"

"물론이야. 말해 줘. 고맙게 받아들일게."

"좋아! 그럼 사람들이 왜 너를 다른 여자애들처럼 대하지 않는지 말해 줄게. 그건 네 겉모습과 행동이 여자아이

원망(怨望) : 못마땅하게 여기어 탓하거나 불평을 품고 미워함.

같지 않아서야. 상스러운 말투와 거친 태도에 옷은 늘 지저분해. 그래서 네가 더 밉게 보여. 알아?

생각해 봐. 열여섯 살이나 된 처녀 아이가 아직도 남자애 같다는 말이나 듣는 게 좋니? 다람쥐처럼 나무에 기어오르지 않나, 안장과 고삐도 없이 말을 타지 않나. 좋아, 힘이 세고 빠른 것도 괜찮아. 겁이 없고 용감한 것도 괜찮지. 그런데 문제는 네가 남의 시선을 끌고 싶어서 일부러 그런 행동을 한다는 거야. 여자아이가 너무 그러면 사람들은 대개 눈살을 찌푸리게 마련이지.

그리고 너는 머리도 좋고 재치才致도 뛰어나. 그런데 그것을 나쁜 쪽으로 쓴다는 게 문제야. 너는 좋은 머리로 다른 사람의 비밀이나 허점을 캐내고 재치 있는 말솜씨로 그 사람을 꼼짝도 못하게 만들지. 그러니까 사람들이 모두 널 싫어하는 거야.

나는 그렇게 생각하지 않지만 마을 사람들은 널 요술쟁

재치(才致) : 눈치 빠른 재주. 또는 능란한 솜씨나 말씨.

이라고 해. 넌 다른 사람들이 모르는 걸 많이 알고 있어서 그렇게 생각하는 걸 거야. 지식이 많다는 건 좋은 점이지. 하지만 넌 그걸 사람들을 괴롭히는 데 쓴다는 게 문제라고. 네가 지금처럼 계속 행동한다면 사람들은 네가 두려워서 널 더 멀리할 거야. 잘 생각해 봐. 넌 확실히 남들보다 뛰어난 점이 많아. 하지만 네가 바뀌지 않으면 아무도 그걸 인정해 주지 않을걸."

랑드리의 진심 어린 충고에 파데트가 깨달은 게 많겠는걸.

파데트는 랑드리가 하는 말을 주의 깊게 듣더니 진지하게 말했다.

"랑드리, 진심을 담아 말해 주어서 고마워. 네 말에 대해서 나도 대답을 하고 싶은데, 내 옆에 좀 앉아 보겠니?"

"여기 앉으라고? 앉기엔 좀 별로인데."

랑드리는 파데트와 더 있고 싶지 않았다. 마음을 놓고 있으면 요술을 건다는 소문이 생각났기 때문이다.

"앉기에 별로라고? 너희 같은 부자들은 참 까다롭구

나. 늘 좋은 곳에 앉아야 하지. 하지만 가난한 사람들은 까다롭게 굴 수 없어. 돌멩이를 베고도 어디서나 곤히 잔단다. 그렇게 하늘과 땅의 아름다운 것들을 알아 가지. 그런 사람들한테 앉기에 별로라는 데는 없단다.

랑드리, 난 요술쟁이는 아니지만 지금 네 발밑에 있는 풀잎을 어디에 쓸 수 있는지 알아. 어디에 쓰인다는 걸 알면 풀잎 하나도 사랑스럽게 바라보게 되고, 향기나 겉모습 따위에는 신경 쓰지 않게 돼. 사람도 마찬가지야. 겉모습만으로 사람을 판단하거나 싫어하면 안 돼."

랑드리는 파데트의 말에 이끌려 파데트 옆에 조용히 앉았다. 한동안 둘은 말이 없었다. 랑드리는 파데트의 이야기를 듣는 게 좋았다. 부드러운 목소리와 차분한 말솜씨로 하는 말들이 마음에 와 닿았다.

"랑드리, 사람들은 날 손가락질하기보다는 불쌍하게 여겨야 해. 태어난 뒤로 내 운명이 어땠는지 생각해 봐. 엄마가 떠나서 슬퍼하는 내게 아이들이 어떻게 했는 줄 알아? 그리고 어른들은 내가 조금만 잘못해도 엄마를 들

먹이며 욕했어. 내가 우리 엄마를 부끄럽게 여기게 만들었어.

네가 말하는 여자아이 같았다면 더 슬퍼하며 죽은 듯이 지냈겠지. 아이들이 무서워서 자기 엄마를 욕해도 가만있었겠지. 하지만 난 그럴 수 없었어. 내 자신을 속일 수 없었어. 누가 뭐래도 우리 엄마는 우리 엄마야. 엄마가 무슨 잘못을 했다 해도 난 엄마를 사랑해.

사람들이 나를 자식을 두고 집을 나간 여자의 딸이라고 손가락질하면 화가 나. 나 때문이 아니라 불쌍한 우리 엄마 때문에.

우리 엄마를 욕하는 사람들도 알고 보면 다 똑같아. 그걸 보여 주려고 더러운 비밀을 캐내 퍼뜨린 거야. 엄마를 지켜 주고 싶은데 달리 방법이 없어서 그렇게 앙갚음을 했어. 아니, 어쩌면 난 호기심이 많은지도 몰라. 사람들이 조금만 친절하게 날 대해 주었더라면 나도 사람들의 비밀 따위에 관심이 없었겠지. 할머니한테 약초로 치료하는 법을 배우는 데 더 열중했을 거야. 난 꽃, 풀, 곤충 등을 찾

아다니면서 자연의 이치와 비밀을 알아 가는 게 좋아.

이렇게 안 지식으로 사람들을 도와주려고 이웃도 사귀었지. 난 아무것도 바라지 않고 아이들의 상처와 병을 낫게 해 줬어. 그런데 그 애들은 고맙다는 인사는커녕 요술쟁이라며 손가락질하더라고. 필요할 때는 달려와서 매달리다가 뒤에서는 나를 욕해. 정말 화가 났어. 얼마든지 더 나쁜 짓을 할 수 있었지만 그러진 않았어. 그냥 말로 지껄이며 앙갚음했을 뿐이야. 그럼 속이 시원해지면서 다 용서가 되더라.

넌 내가 겉모습에 신경을 안 쓴다고 했지? 그건 내가 못났다는 걸 알 만큼 내가 똑똑하다는 증거야. 사람들이 하도 말해 줘서 나도 알아. 쳐다보기 싫을 만큼 못났다는 걸 말이야. 난 신경 안 써. 하느님과 천사들은 아무리 못생겨도 날 좋아할 테니까. 내가 불평만 하지 않으면 그분들도 내 잘못은 묻지 않을 거야.

사람들은 그러지. '으, 송충이다! 징그러워. 더러워. 죽여야 해.' 하지만 나는 절대로 그런 말은 안 해. 하느님께서 만드신 생명을 밟아 죽일 수는 없잖아. 송충이가 물에라도 떨어지면 나뭇잎으로 건져서 살려 줘. 이걸 보고 사람들은 내가 나쁜 벌레를 좋아한다, 요술쟁이다 그러는 거야.

난 힘없고 불쌍한 벌레들을 보면 이렇게 말해. '생긴 모습이 징그럽다고 해서 죽어야 한다면 나도 죽어야 한단다.' 향기도 좋고 아름다운 꽃을 피우는 식물 중에 치명적인 독이 들어 있는 경우가 있어. 사람도 마찬가지인 것 같아. 겉모습이 번드르르한 사람 중에 더 마음씨 고약하고 잔인한 사람이 많다는 걸 사람들은 모르는 것 같아."

랑드리는 파데트의 사려思慮 깊은 말에 감동을 받았다. 어두워서 잘 보이지 않는 파데트의 얼굴을 떠올리며 진심으로 이렇게 말했다.

〈탈무드〉에 보면 "껍질을 보지 말고 그 안에 들어 있는 것을 보라."라는 말이 있지.

사려(思慮) : 여러 가지 일에 대하여 깊게 생각함. 또는 그런 생각.

"파데트, 네가 그렇게 못생긴 건 아니야. 너보다 못생긴 애들도 훨씬 많은걸."

"그렇다고 내가 예쁜 것도 아니잖아? 괜찮아. 위로^{慰勞}할 필요 없어."

"다른 여자애들처럼 차려입고 꾸미면 너도 달라질 거야. 사실 사람들도 그렇게 말해. 네가 정말 못생긴 건 아니라고 말이야. 네 눈이 참 예쁘다고 하던걸."

"난 예쁜 얼굴을 내세워 아양이나 떠는 여자애들을 이해할 수가 없어. 난 예뻐져도 그러지 않을 거야. 내가 좋아하는 사람한테만 예쁘게 보이고 싶어.

랑드리, 난 내가 못생겼다는 걸 잘 알아. 하지만 못생긴 나를 감추기 위해 꾸미고 싶지는 않았어. 그랬더니 사람들은 나를 손가락질했어. 내가 피해를 주지 않았는데도, 오히려 도와줬는데도 날 흉봤어. 뭐, 꾸미고 싶어도 꾸밀 돈이 없기도 했지. 할머니는 자는 거, 먹는 거 빼고는 한

─────────────

위로(慰勞) : 따뜻한 말이나 행동으로 괴로움을 덜어 주거나 슬픔을 달래 줌.

푼도 돈을 안 쓰셔.

사람들은 쉽게 이렇게들 말하지. 이제 다 컸으니까 어디 가서 하녀로 일하면 될 텐데, 내가 게으르고 돌아다니길 좋아해서 일도 안 한다고. 하지만 할머니는 누가 곁에서 돕니? 하녀를 둘 형편도 아닌데."

"사람들이 네가 일하기 싫어한다고 하는 말을 나도 들었어. 네 할머니도 너 대신 하녀를 두는 게 낫다고 하셨다던데?"

"그건 사실이 아니야. 막상 내가 떠나려고 하면 할머니가 붙잡으셔. 내 도움이 필요하니까. 할머니는 이제 많이 늙으셔서 혼자서는 약초를 캐러 못 돌아다니셔. 그리고 난 할머니가 모르는 약초를 많이 알고 있거든. 그래서 날 절대로 못 떠나게 하시는 거야.

하지만 내가 떠나지 못하는 진짜 이유는 바로 동생 때문이야. 불쌍한 동생! 다리를 저는 데다 몸도 약하고, 놀림만 받아. 또 할머니께서 너무 심하게 혼내고 때리셔서 내가 막아야 해.

돈 벌러 떠나야겠다고 마음먹었다가도 불쌍한 동생을 생각하면 떠날 수가 없어. 내가 떠나면 동생이 어떻게 될까 봐 두려워. 랑드리, 이게 내 나쁜 점이자 잘못이야. 하느님이 날 심판하시겠지. 난 나에 대해서 잘 알지도 못하면서 날 무시하고 괴롭히는 사람들을 용서해 주겠어."

파데트에 대해 잘 알지도 못하면서 무시하고 손가락질하는 사람들, 모두 나쁜 사람들이야.

랑드리는 파데트가 하는 말마다 감동을 받았다. 파데트와 친구처럼 가까워진 느낌을 받았고 앞으로 파데트의 편이 되어 주고 싶었다.

"파데트, 사람들한테 너의 고운 마음씨를 보여 주면 어떨까? 그럼 널 절대 흉보거나 손가락질하지 않고, 널 바른 아이라고 생각할 거야."

"내가 말했잖아. 좋아하지도 않는 사람한테까지 일부러 잘 보이려고 애쓰고 싶지 않다고."

"하지만 나한테는 네 고운 마음을 보여 주었잖아. 그러니까 나를 좋아한다는 거니? 날 싫어하는 줄 알았는데."

파데트가 대답했다.

"그동안 조금 미워했지만 오늘부터는 아니야. 난 네가 거만하다고 생각했어. 그런데 약속을 지키기 위해 부끄러움을 무릅쓰고 나와 춤을 추는 것을 보고 알았어. 넌 용기 있는 사람이야. 오늘 나를 지켜 줘서 고마워. 네가 없었다면 난 정말 어떻게 됐을까? 지금만 해도 그래. 울음소리를 듣고 이렇게 도와주러 왔잖아.

랑드리, 고마워! 평생 잊지 않을게. 이번에는 네가 원하는 걸 말해 줘. 난 오늘 너를 너무 괴롭혔어. 정말 미안해. 네가 마들렌을 좋아하는 줄 알았다면 나랑 춤추자는 약속 같은 건 절대 하지 않았을 거야. 나 때문에 둘 사이가 나빠진 것 같아. 네가 마들렌을 보며 슬퍼할 때 나도 슬펐어. 너한테 상처를 준 것 같아서 미안해. 내가 운 건 그 때문이야. 누구보다 용기 있고 착한 랑드리한테 내가 무슨 짓을 한 거지? 내 잘못을 다 갚을 때까지 울고 싶어. 내가 마들렌을 찾아가서 다 내 잘못이라고 털어놓을게. 그럼 마들렌도 이해할 거야."

"괜찮아, 파데트. 나는 네가 생각하는 만큼 마들렌을 좋아하지 않아. 내가 그 애한테 조금 관심을 가졌던 건 사실이지만 마들렌과 나는 서로 좋아한다는 말도 나눈 적 없어. 그러니까 애쓰지 않아도 돼."

"랑드리, 마들렌을 바라보는 너의 눈빛을 보면 알 수 있어. 날 믿어. 내가 너희 둘 사이를 갈라놓았으니까 다시 화해和解하게 해 줄게. 마들렌처럼 예쁜 아가씨와 사랑을 나누는 것도 좋겠지만 못생긴 파데트와 우정을 나누는 것도 나쁘진 않을 거야."

랑드리는 파데트의 두 손을 꼭 잡았다.

"네 따뜻한 우정을 이제 알겠어. 네 우정이 사랑보다 훨씬 더 아름답고 가치 있게 느껴져. 네가 마음씨 고운 아이라는 걸 이제야 알다니…… 넌 내가 오늘 널 지켜 줬다고 하지만 나는 오늘 너한테 몹쓸 짓을 했어."

"그게 무슨 말이야?"

화해(和解) : 싸움하던 것을 멈추고 서로 가지고 있던 안 좋은 감정을 풀어 없앰.

랑드리는 파데트의 눈을 가만히 들여다보며 말했다.

"춤을 추고 나면 입맞춤을 해야 하는 거잖아. 그런데 나는 네게 입맞춤을 하지 않았어. 지금 입맞춤을 하게 해 줄래?"

파데트의 짙고 기다란 속눈썹이 파르르 떨렸다. 파데트는 떨리는 가슴을 가라앉히고 차분하게 말했다.

"네가 내게 한 몹쓸 짓을 용서 받고 싶다면 그냥 용서해 줄게."

랑드리는 자기도 모르게 목소리를 높이며 파데트의 손을 꼭 잡았다.

"그렇게 말하지 마, 파데트!"

파데트는 부드러운 목소리로 랑드리를 달랬다.

"랑드리, 나는 너의 진정한 친구가 되고 싶어. 우리 우정의 뜻으로 악수를 하자. 난 너와 친구가 되는 게 기뻐. 이때까지 친구가 없었으니까. 나는 너 말고는 그 누구와도 우정을 나누지 않을 거야. 됐지?"

"좋아. 정 그렇다면 악수할게. 하지만 우정의 표시로

입맞춤을 해도 되잖아. 그래도 네가 싫다고 하면 아직도 날 나쁘게 생각하는 걸로 알겠어."

랑드리가 입을 맞추려고 하자 파데트가 갑자기 눈물을 흘렸다.

"랑드리, 난 두려워. 밤에는 내 얼굴이 안 보이니까 입맞춤을 했다가 낮에 내 얼굴을 보고 네가 후회할까 봐."

"내가 네 얼굴을 모르니? 지금도 네가 보여. 자, 달빛 아래로 나와 봐. 그래, 잘 보이네. 네가 정말 못생겼는지 어떤지 모르겠어. 난 네가 예뻐 보여. 너를 좋아하니까."

랑드리는 파데트에게 입맞춤을 했다. 파데트는 벌떡 일어서더니 달아나 버렸다. 랑드리는 뒤쫓아 가고 싶었지만 생각을 바꿔서 푸르시 마을로 돌아갔다.

다음 날 아침 잠에서 깬 랑드리는 어젯밤의 일이 꿈만 같았다. 파데트를 생각하면 언제나처럼 못생기고 지저분한 얼굴이 떠올랐다. 하지만 달빛 아래 앉아 이야기를 하던 파데트는 세상에서 가장 예쁘고 착한 소녀였다는 생각이 들었다.

'파데트는 사람들 말대로 진짜 요술쟁이일까? 단 한 번 이야기를 나눈 것밖에 없는데 내 감정感情이 이렇게 바뀌다니……'

가뜩이나 일이 손에 잡히지 않는 참에 사람들이 놀려 대기까지 했다.

사람들은 아직 파데트가 어떤 사람이라는 걸 모르고 떠들고 있어.

"어제 귀뚜라미하고만 춤을 췄다며?"

"혹시 요술쟁이한테 홀린 거 아냐?"

랑드리는 어깨를 당당히 펴고 용기를 내 말했다.

"그렇게 말하지 마세요. 파데트는 나쁜 아이가 아니에요. 남을 도울 줄 아는 마음씨 착한 아가씨라고요!"

"어이구, 귀뚜라미가 자네한테 마술을 부렸나 보군."

"조심하라고! 까딱 잘못했다가는 요술쟁이의 신랑이 될 테니까."

감정(感情) : 어떤 현상이나 일에 대하여 마음이나 느끼는 기분.

랑드리는 놀려 대는 사람들을 무시하고 묵묵히 일을 했다. 한낮이 되어 밭에서 일하던 랑드리는 멀리서 지나가는 파데트를 보았다. 파데트는 마들렌이 있는 숲 쪽으로 가고 있었다. 랑드리는 몰래 파데트를 따라갔다. 파데트가 마들렌한테 무슨 이야기를 할지 궁금했다.

가까이 다가가 들어보니 파데트는 실비네를 찾는 걸 도와주고 한 약속과 도깨비불을 만나 물에 빠져 죽을 뻔한 자신을 도와준 이야기를 차분하게 했다.

그러자 마들렌이 화를 내며 말했다.

"그런 얘기를 나한테 왜 하는 거니? 난 네가 평생 쌍둥이들이랑 춤을 춰도 상관없어."

"마들렌, 그렇게 말하지 마. 랑드리가 너를 얼마나 좋아하는데. 그 마음을 받아 주지 않으면 랑드리가 얼마나 속상하겠니? 나도 계속 죄를 지은 것만 같을 거야."

파데트는 부드러운 목소리로 랑드리의 좋은 점을 차근차근 말했다. 몰래 듣고 있던 랑드리의 얼굴이 빨개질 정도였다. 파데트가 얼마나 자기를 좋게 생각하는지를 알고 기뻤던 것이다.

"애, 파데트. 나는 요술쟁이와는 말하기 싫어. 그러니까 그만 돌아가 줄래? 가만, 혹시 랑드리와 네가 서로 좋아하는 것 아니야? 너같이 못생기고 지저분한 아이를 좋아하는 얼간이를 나더러 뭘 어쩌라는 거니? 이제는 싫어진 거야? 그래서 나더러 가지라는 거니? 꼴도 보기 싫으니까 어서 꺼져!"

마들렌이 심한 말을 내뱉었지만 파데트는 진심 어린 목소리로 말했다.

"마들렌, 날 무시해서 속이 시원하다면 얼마든지 그렇게 해. 난 상관없으니까. 하지만 내 말을 들어 봐. 난 랑드리가 싫어진 게 아니야. 아주 오래전부터 랑드리를 좋아했어. 지금도 내 마음속에는 랑드리뿐이야. 앞으로도 영원히 그럴 거고. 하지만 난 내 처지處地를 잘 알아. 랑드리처럼 멋지고 좋은 사람이랑 어울리지 않는다는 걸 말이

처지(處地) : 처하여 있는 사정이나 형편.

야. 마들렌, 넌 내가 절대로 가질 수 없는 사람의 사랑을 받고 있어. 랑드리가 잘못을 빌면 제발 용서해 줘."

"랑드리는 너 같은 요술쟁이하고나 어울려. 그러니까 어서 꺼져!"

마들렌은 파데트가 돌아간 뒤에 곰곰이 생각에 잠겼다. 지금까지 랑드리에 대해서 진지하게 생각해 본 적이 없었다. 파데트가 랑드리를 사랑하고 있다니까 이제야 랑드리가 어엿한 청년으로 여겨졌다.

저녁이 되자 마들렌은 적당한 핑계를 대고 집에서 나와 카이요 씨 집으로 갔다. 랑드리 옆에서 얼쩡거리며 눈치를 살폈다. 파데트의 말대로 사과를 받으러 온 것이었다.

'파데트는 정말 요술쟁이 같다니까. 콧대 높은 아가씨의 마음을 단 몇 마디로 돌려놓다니……'

랑드리가 무표정한 얼굴로 빤히 쳐다보자 마들렌은 화가 나서 돌아가 버렸다. 랑드리는 마들렌에 대한 마음이

마들렌, 이미 늦었어. 랑드리의 마음속에는 파데트밖에 없다고!

달라졌음을 깨달았다. 마들렌을 봐도 가슴이 설레거나 잘 보이고 싶다는 마음이 들지 않았다.

밤이 되자 랑드리는 남몰래 파데트의 집으로 갔다. 파데트네 오두막에서는 불빛도 새어 나오지 않았고 파데 할머니가 야단치는 소리도 들리지 않았다.

랑드리는 파데트가 나오지 않을까 싶어서 집 밖에서 한참을 기다렸다. 혹시 냇가에 가면 파데트가 있을까 싶어 가 봤지만 아무도 없었다. 휘파람을 불면 나타나지 않을까 싶어 휘파람도 불어 보았다. 그러나 파데트는 여느 때처럼 불쑥 나타나지 않았다.

6장
사랑의 힘

랑드리는 파데트를 일주일 동안이나 못 만나서 걱정이
되었다.

'나를 위해 마들렌을 찾아가 애를 써 주었는데 고맙다
는 말도 못하고 있네. 고맙다고 말할 줄도 모른다고 파데
트가 오해하면 어쩌지. 아무리 찾아다녀도 안 보이는데
어떡해. 혹시 그날 밤 내가 입맞춤을 해서 화가 난 걸까?'

랑드리는 태어나서 처음으로 수없이 많은 생각을 했다.
무슨 생각을 하는지도 모른 채 깊은 생각에 잠긴 자신을
보고 깜짝 놀라기도 했다. 일을 해도 힘이 나지 않았고,
멋진 소와 아름다운 들판도 눈에 들어오지 않았다.

일요일 아침 일찍 랑드리는 성당에 갔다. 파데트가 성당에 일찍 온다는 것을 알고 있었기 때문이다. 성당 안에 들어서니 한 소녀가 성모상 앞에 무릎을 꿇고 앉아 기도를 하고 있었다. 얼핏 파데트 같았지만 머리 모양이나 옷차림이 달랐다. 랑드리는 성당 밖으로 나와 둘러보았지만 파데트의 모습은 보이지 않았다.

미사가 시작되는 종이 울렸다. 성당으로 다시 들어서니 기도를 하던 소녀가 일어나 의자로 가서 앉았다.

"아니! 파데트 아냐?"

랑드리는 너무 놀라 성경 책을 떨어뜨렸다.

파데트는 다른 사람처럼 달라져 있었다. 옷은 여전히 낡고 초라했지만 깨끗이 손질되어 있었다. 단정하게 빗은 머리에는 예쁜 모자를 쓰고 있었다. 종아리를 가린 치마는 하얀 양말 위에 가지런히 늘어뜨려져 있었다.

'파데트는 정말 요술쟁이라니까. 일주일 만에 저렇게 달라지다니. 마치 장미의 요정 같아.'

랑드리와 눈이 마주치자 파데트의 얼굴이 사과처럼 붉

어졌다. 랑드리는 아름다운 파데트의 얼굴에서 눈을 떼지
못했다. 특히 반짝이는 눈동자는 아름다움을 더 돋보이게
했다. 랑드리는 어서 빨리 파데트한테
가서 말을 걸고 싶어 미사가 끝나기만

사랑의 힘이
귀뚜라미 파데트를
아름다운 숙녀로
바꿔 놓았어.

을 초조焦燥하게 기다렸다.

미사가 끝나자 파데트는 전처럼 장
난도 치지 않고 조용히 돌아갔다. 랑드리는
따라가고 싶었지만 실비네가 옆에 있어서
그럴 수 없었다. 한 시간쯤 뒤에야 겨우
파데트를 찾아갔다.

파데트는 계곡에서 양들을 지키고 있었
다. 랑드리는 파데트 옆에 앉았다. 왠지 모르게 부끄러웠
다. 마들렌과 함께 있을 때는 느껴 보지 못한 감정이었다.
만나면 하고 싶은 말이 많았는데 정작 아무 말도 할 수 없
었다. 랑드리가 계속 쳐다보자 파데트도 부끄러운지 두

초조(焦燥) : 애가 타서 마음이 조마조마함.

뺨이 발그스레해졌다.

"왜 그렇게 쳐다보는 거야? 머리 모양이 달라져서 그래? 아니면 긴치마를 입어서? 네가 하라는 대로 한 것뿐이야. 달라지려면 먼저 옷차림부터 바꿔야 할 것 같았거든. 그런데 두려운 거 있지. 사람들이 놀릴까 봐."

"신경 쓰지 마. 오늘 넌 정말 예뻐."

"놀리지 말고 마들렌 얘기나 해 봐. 마들렌이 용서해 줬어?"

"마들렌 얘기하러 온 거 아니야. 용서해 주든 말든 관심 없어. 그래도 마들렌한테 내 이야기를 해 줘서 고마워. 아무튼 그 애랑 난 아무 사이도 아니야."

랑드리는 더욱 새빨개진 파데트의 얼굴을 바라보며 말했다.

"너랑 춤추었던 날 밤에 너와 이야기를 나눈 뒤로 난 네가 좋아졌어. 일주일 내내 밥도 제대로 못 먹고, 잠도 제대로 못 잤어. 네게 입맞춤을 한 다음 날 아침에는 내가 너를 좋아한다는 사실이 부끄럽게 느껴졌어. 그런데 저녁이 되자 마음이 바뀌면서 널 보고 싶어지더라고. 그래서 너희 집까지 달려갔었어.

그날 사람들은 날 놀려 댔지. 못생기고 지저분한 널 좋아한다고 말이야. 하지만 이렇게 달라진 네 모습을 보면 사람들이 내가 널 왜 좋아하는지 알게 될 거야. 어쩌면 나보다 더 널 좋아하는 사람이 생길지도 몰라. 그러면 넌 나를 잊고 다른 사람을 좋아할지도 모르지. 기억해 줘. 그날 밤 내가 입맞춤했던 거. 난 네가 이렇게 예뻐지기 전에도 널 좋아하고 입맞춤했잖아. 말해 봐. 이런 내 마음을 넌 어떻게 생각해?"

파데트는 얼굴을 두 손으로 가린 채 말이 없었다. 랑드리는 파데트의 손을 얼굴에서 떼어 냈다. 하얗게 질린 파데트의 얼굴에는 핏기가 하나도 없었다.

"파데트, 왜 아무 말도 안 하는 거야?"

랑드리가 다시 묻자 파데트는 두 손을 가슴에 모으고는 크게 숨을 한 번 내쉬더니 푹 쓰러졌다.

"파데트, 왜 그래? 정신 차려!"

랑드리는 얼음처럼 차가워진 파데트의 손을 주무르며
소리쳤다.

잠시 뒤에 정신을 차린 파데트가 중얼거렸다.

"랑드리, 날 놀리는 거지? 제발 부탁이야.
이런 장난은 치지 마."

"놀리는 건 내가 아니라 너야. 나를 좋
아하지도 않으면서 날 좋아한다고 여기게
만들었잖아."

파데트, 랑드리는
장난치는 거 아냐!
진심이라고!

"내가 그랬다고? 난 그저 실비네가
널 위하는 것처럼 널 위했을 뿐이야. 어
쩌면 실비네보다 나을지도 모르지. 난 질투도
안 하고, 다른 여자랑 사귀게 도와주기도 했으니까."

"맞아. 넌 정말 나한테 잘해 줬어. 널 화나게 했다면 미
안해. 용서해 줘. 하지만 내가 널 좋아하는 걸 막지는 마.
나한테 넌 실비네 형이랑 달라. 네가 싫다면 다시는 입맞
춤도 하지 않을게."

랑드리는 어두워질 때까지 내내 파데트와 함께 지냈다.

파데트와 이야기하는 것이 즐거워 잠시도 떨어져 있고 싶지 않았다. 그러다 보니 파데트의 동생 자네와도 친해졌다. 랑드리가 따뜻하게 대해 주자 자네도 심술을 부리지 않고 잘 따랐다.

랑드리와 파데트는 날마다 만났다. 파데트는 랑드리가 일하는 데 방해가 되지 않도록 잠깐만 만나고 헤어졌다.

이제 파데트는 완전히 달라졌다. 말투와 옷차림, 그리고 사람들을 대하는 태도까지 확 달라졌다. 사람들도 차츰차츰 파데트를 다르게 대했다. 말과 행동이 반듯했기 때문에 놀리거나 욕을 하는 사람도 없었다.

랑드리는 파데트와 있으면 마음이 편하고 행복했다. 파데트가 침착沈着하게 행동하도록 이끌어 주고, 고민이 있으면 다독여 주었기 때문이다.

파데트는 랑드리를 사랑하지 않는 듯이 행동했다. 랑드리가 너무나 빠르고 열렬하게 자기를 사랑하는 게 불안했

침착(沈着) : 행동이 들뜨지 아니하고 차분함.

기 때문이다. 랑드리의 마음이 지푸라기에 붙은 불처럼 빨리 꺼져 버리면 어쩌나 두려웠다. 시간이 갈수록 랑드리를 더욱 사랑했지만 전혀 안 그런 척하며 침착하게 행동했다.

파데트는 랑드리를 숲으로 데리고 다니며 여러 가지 약초를 쓰는 법, 사람이나 동물을 치료하는 법을 가르쳐 주었다. 한번은 카이요 씨네 암소가 병에 걸렸다. 랑드리가 파데트한테 배운 대로 약초를 뜯어다 먹이자 말끔히 나았다. 수의사도 포기했던 암소였다. 그뿐 아니라 독사에게 물린 망아지도 살리고, 광견병에 걸린 개도 낫게 해 주었다. 사람들은 랑드리가 어떤 방법을 쓰는지 몰랐다. 그저 정성껏 잘 돌봐서 나은 것이라고 생각했다.

사랑의 힘이 랑드리의 삶도 많이 바꿔 놓았어.

랑드리는 파데트가 여러 가지를 가르쳐 주는 게 고마웠다. 파데트의 뛰어난 능력을 알고 더욱더 사랑하게 되었다. 랑드리는 파데트가 얼마나 자기 생각을 해 주는지 잘 알았다. 파데트는 랑드리가 사랑에 빠져 일을 소홀히 할까 봐 걱정했다. 사랑 타령만 하게 내버려 두지 않고 랑드리에게 목표를 가지고 앞날을 설계하도록 했다.

랑드리는 파데트를 깊이 사랑했기에 두 사람의 사랑이 알려지는 게 두렵지 않았다. 하지만 실비네 때문에 여전히 조심해야 했다. 실비네의 질투가 걱정되었던 것이다.

파데트는 자기들의 사랑을 비밀로 하고 싶었다. 랑드리가 사람들의 놀림감이 되는 게 싫었고, 사랑하는 랑드리가 가족들과 갈등을 겪게 하고 싶지 않았다. 거의 1년이 되도록 두 사람의 비밀은 지켜졌다. 하지만 영원한 비밀은 없는 법이었다.

어느 일요일, 실비네는 묘지 담벼락을 따라 걸어가다가 랑드리의 목소리를 들었다.

"춤추러 가자. 왜 안 가겠다는 거야?"

랑드리는 어느 여자와 이야기하고 있었다. 사랑에 푹 빠져서 여자에게 춤추러 가자고 조르고 있는 듯했다. 실비네는 들킬까 봐 얼른 몸을 숨겼다. 랑드리가 사랑하는

여자가 누구인지는 보지 못했다.

랑드리가 자기한테까지 비밀로 할 정도로 여자에게 푹 빠져 있다는 것을 알게 된 실비네는 너무나 가슴이 아팠다. 랑드리가 사랑하는 여자가 누구인지는 중요하지 않았다. 랑드리가 자기를 소홀히 대하는 이유를 알게 된 것만으로 다행이었다.

랑드리에게 사랑하는 여자가 있다는 걸 알았으니 실비네가 다시 병에 걸리는 거 아냐?

'그 여자가 랑드리한테 시키는 거야. 나를 멀리하고 싫어하게 말이야. 집에 있을 때 재미없어 하던 것도 저 여자 때문이었군. 함께 산책하자고 하면 허둥거리던 것도 이유가 있었어. 이왕에 이렇게 됐으니까 방해하지 말아야지. 아무에게도 말하지 않을 거야. 비밀을 폭로暴露하면 랑드리가 날 더 미워할 테니까.'

폭로(暴露) : 알려지지 않았거나 감추어져 있던 사실을 드러냄.

실비네는 굳게 마음먹은 대로 행동했다. 그러면서 실비네는 다시 괴로움에 빠졌다. 그동안 괜찮았던 건강도 나빠졌다.

실비네는 자기가 왜 괴로운지 아무한테도 말할 수 없었다. 열여덟 살이나 됐는데도 열다섯 살 때와 똑같은 이유로 괴로워한다는 게 부끄러울 뿐이었다.

그러던 어느 날, 랑드리와 파데트가 좋아하는 사이라는 소문이 온 마을에 퍼졌다. 소문을 퍼뜨린 사람은 바로 마들렌이었다.

겉보기에는 얌전하고 아름다웠지만 마들렌은 여러 남자와 만나고 있었다. 마들렌은 새로 사귄 카이요 씨의 막내아들과 몰래 만나기로 한 장소로 갔다. 예전에 비둘기를 키우던 창고였다. 그런데 거기서 랑드리와 파데트를 딱 마주친 것이었다.

비밀 장소에서 마주친 네 사람은 무척이나 당황스러웠다. 네 사람은 서로에 대한 비밀을 절대로 퍼뜨리지 않기로 약속했다.

약속은 했지만 마들렌은 질투가 났다. 그 무렵 랑드리는 가장 멋진 젊은이로 마을에서 인기 최고였다. 그런 랑드리가 파데트를 사랑한다는 것을 알고는 걷잡을 수 없는 질투와 분노에 휩싸였다.

마들렌은 여자 친구들과 함께 파데트와 랑드리에 대한 소문을 퍼뜨렸다. 소문은 금세 온 마을에 쫙 퍼졌다. 이상한 이야기까지 덧붙여진 소문은 꼬리에 꼬리를 물고 돌아다니며 가라앉을 줄 몰랐다.

소문은 랑드리의 어머니 귀에까지 들어갔다. 어머니는 걱정이 많았지만 아버지한테는 말하지 않았다. 아버지는 다른 사람한테 소문을 들었다.

어느 일요일 저녁, 랑드리가 평소보다 일찍 집을 나서자 아버지가 말했다.

"랑드리, 할 말이 있다. 네가 어떤 사람이랑 사귄다는 소문이 있더구나. 듣자 하니 마을에서 가장 가난하고 말썽 많은 아가씨라던데, 사실이 아니라면 아니라고 말해 줬으면 한다."

"아버지, 무슨 소문인지 자세히 말씀해 주세요. 제가 진실眞實을 똑바로 말씀드릴 수 있게요."

"사람들 말이 네가 파데 할머니의 손녀딸인 파데트와 사귄다고 하더구나. 그 할머니가 얼마나 심술궂은 사람인지 아니? 파데트 엄마는 남편과 아이를 버리고 집을 나갔어. 파데트는 널 나쁜 일에 끌어들일 거다. 같이 어울리면 평생 후회할 거야."

바르보 씨가 파데트에 대해 오해를 많이 하고 있어.

"아버지, 대답하기 전에 하나만 여쭤볼게요. 파데트와 사귀는 걸 반대하시는 게 그 가족들 때문입니까, 아니면 파데트 때문입니까?"

"둘 다."

랑드리의 당당한 모습에 아버지는 더 엄하게 말했다.

"마을에서 존경 받는 우리 집안이 가난하고 손가락질

진실(眞實) : 거짓이 없는 사실.

받는 파데트 집안과 인연因緣을 맺는 건 상상도 할 수 없다. 파데트도 문제야. 요사이 많이 달라졌다는 소리도 들었고 나도 보긴 했지만 그것만으로는 안 된다. 자라온 환경이 나쁜데 어떻게 좋은 아내가 되겠니? 그 할머니라는 사람은 보통 이상한 사람이 아니다. 파데트와 짜고 너를 홀리는 걸지도 몰라."

처음에는 랑드리도 차분하게 이야기할 생각이었다. 하지만 참을 수가 없어서 얼굴을 붉히며 소리를 높였다.

"파데트에 대해 아무것도 모르시면서 함부로 말씀하시지 마세요."

"랑드리, 이건 화를 낼 문제가 아니야. 아버지께서는 네가 혹시라도 곤란한 처지에 빠지게 될까 봐 걱정을 하시는 거잖아."

실비네의 말을 듣고 조금 진정이 되기는 했지만 랑드리는 이대로 그냥 넘어갈 수 없었다.

인연(因緣) : 사람들 사이에 맺어지는 관계.

"형은 아무것도 몰라. 형도 파데트를 나쁘게만 생각하잖아. 사람들이 나에 대해서는 뭐라고 말해도 괜찮아. 하지만 파데트에 대해서 나쁘게 말하는 건 참을 수가 없어. 모두 알았으면 좋겠어. 파데트가 얼마나 착하고 바른 아가씨인지 말이야. 집안이 안 좋은 건 불행한 일이지만 그건 파데트 탓이 아니야. 그런데도 파데트는 바르게 자랐어. 집안이나 가난을 탓하는 건 좋지 않다고 생각해."

아버지가 자리에서 벌떡 일어나며 소리쳤다.

"너 정말 파데트한테 푹 빠졌구나. 부끄러워하지도 않고 후회하는 것 같지도 않구나. 오늘은 그만하자. 서로 냉정하게 다시 생각해 본 뒤에 다시 얘기하자. 그만 일하는 집으로 돌아가거라."

랑드리가 돌아서려고 하는데 실비네가 막았다.

"이대로 가면 안 돼! 아버지, 랑드리를 용서해 주세요. 그렇지 않으면 랑드리는 밤새도록 울 거예요."

아버지와 랑드리만 빼고 온 가족이 눈물을 흘렸다. 아버지의 뺨에 입을 맞추고 집을 나온 랑드리는 파데트의

집으로 갔다. 랑드리는 집에서 있었던 일을 모두 이야기
했다.

"랑드리, 난 이런 일이 일어날 줄 알았어. 만약에 진짜
로 일어나면 어떻게 해야 할지 많이 생각했어. 너희 아버
지는 아무 잘못도 없으셔. 너를 사랑하시기 때문에 나와
사귀는 걸 걱정하시는 거야. 예전에 내가 한 짓을 생각하
면 그러실만도 해. 내가 달라지긴 했지만 아버지의 믿음
을 얻으려면 시간이 많이 필요할 거야. 시간이 지나면 나
에 대한 나쁜 소문도 사라지고 너희 부모
님도 내가 어떤 사람인지 아시게 되겠
지. 그때까지는 아버지 말씀대로 우리
만나지 말자."

"널 만나지 못하느니 차라리 강물에 뛰어
들겠어."

"그렇다면 내가 용기를 낼게. 당분간
이 마을을 떠나 있겠어. 마침 읍내에 좋은
일자리가 생겼어. 할머니도 많이 늙으셔서

파데트는 정말
현명한 아가씨야.
랑드리가 사랑할 만해.

일을 못하시니까 내가 일을 해서 돈을 벌어야 해. 내 동생
은……."

동생을 두고 떠나야 한다는 생각에 파데트는 목이 메어
말을 잇지 못했다.

"동생도 이제 많이 커서 내가 없어도 괜찮을 거야. 랑
드리, 알겠지? 마을 사람들이 잠시 날 잊게 해야 해. 한두
해 멀리 떠나 있다 마을 사람들이 예전의 나를 잊고 나에
대해서 훌륭한 이야기만 하게 됐을 때 돌아올게. 그러면
아무도 우리를 괴롭히지 않겠지. 우리는 전보다 더 가까
이 지낼 수 있을 거야."

랑드리는 파데트의 생각을 돌려 보려 했지만 이미 마음
을 단단히 먹은 터였다. 랑드리는 어깨를 축 늘어뜨리고
프리시 마을로 돌아갔다.

이틀 뒤에 카이요 씨의 막내아들이 랑드리에게 다가와
말을 걸었다.

"랑드리, 요즘 왜 통 나한테 말을 안 해? 설마 내가 파
데트랑 네 사이를 소문냈다고 생각하는 거야? 하늘에 맹

세코 난 한마디도 안 했어. 다 마들렌 짓이라니까. 파데트
도 벌써 알고 있어. 그런데도 따지지도 않고 욕도 하지 않
더라고. 랑드리, 난 이제 깨달았어. 겉모습이나 소문 같은
건 하나도 믿을 게 못 된다는 걸 말이야. 질이 나쁘다고
소문난 파데트가 사실은 착하고, 예쁘고 착하다고 소문난
마들렌은 영 막돼 먹었어."

랑드리는 카이요 씨의 막내아들이 하는 이야기를 기쁘
게 받아들였다. 아버지가 파데트와 사귀는 걸 반대해 고
민이 많다고 랑드리가 말하자 카이요 씨의 막내아들은 진
심으로 걱정하며 마음을 달래 주려고 했다.

"걱정이 많겠다. 파데트가 너희 가족의
걱정을 덜어 주려고 떠난다고 해서 오는 길
에 작별 인사도 했어."

"작별 인사라니? 떠난다니? 그게 무슨 소리야?"

"어, 모르고 있었어? 파데트는 떠났어.
15분쯤 전에 우리 집 앞을 지나서……."

랑드리는 말이 채 끝나기도 전에 달려 나갔

> 파데트가
> 결국 마음먹은 대로
> 읍내로 떠났어.

다. 숨이 턱에 차도록 달려서야 가방을 들고 가는 파데트를 따라잡을 수 있었다.

랑드리는 파데트를 보자마자 땅에 쓰러지고 말았다. 슬프기도 하고 숨이 차기도 해서 말이 나오지 않았다. 떠나면 안 된다는 뜻으로 손을 내저을 뿐이었다.

"랑드리, 네가 괴로워하는 모습을 보고 싶지 않아서 몰래 떠난 거야. 네가 이렇게 슬퍼하면 난 떠날 수가 없어. 오늘 못 떠나면 난 영원히 못 떠날 것 같아. 그럼 우리 사이도 끝이야."

"넌 내가 얼마나 슬픈지 상상도 하지 못할 거야. 넌 사랑이 뭔지 몰라. 넌 날 사랑하지 않으니까 금세 날 잊고 다시는 안 돌아올 거야."

"아니야. 난 꼭 다시 돌아올 거야. 하늘에 걸고 맹세할게. 빠르면 1년, 늦어도 2년 안에는 꼭 돌아올 거야. 너를 잠시도 잊지 않을 거고, 너 말고는 친구도 사랑하는 사람도 만들지 않을 거야."

"믿을 수 없어! 내가 널 사랑하는 만큼 네가 날 사랑한

다면 이렇게 떠나지는 못할 거야."

파데트는 랑드리를 바라보며 차분하게 말했다.

"진짜 그렇게 생각해? 내가 널 정말 사랑하지 않는다고 생각해?"

파데트의 눈에 눈물이 고이더니 이내 주르르 흘러내렸다. 흘러내리는 눈물 사이로 미소微笑가 번졌다. 파데트는 사랑이 가득 담긴 눈빛으로 랑드리를 바라보며 조용히 말했다.

파데트가 어릴 때부터 랑드리를 좋아해서 놀리며 괴롭혔던 거였구나.

"랑드리, 넌 정말 몰랐을 거야. 귀뚜라미는 열세 살 때부터 랑드리를 좋아했거든. 좋아해서 계속 따라다니며 놀리고 괴롭혔던 거야. 실비네를 찾는 랑드리 앞에서 요술쟁이처럼 군 것도 랑드리가 고맙게 생각해 주기를 바라서였지. 그리고 랑드리를 정말 좋아

미소(微笑) : 소리 없이 빙긋이 웃음. 또는 그 웃음.

했기 때문에 같이 춤을 추고 싶었던 거야. 아무도 없는 곳에서 혼자 울었던 건 랑드리한테 미움을 받을까 봐 슬퍼서였어. 랑드리가 입맞춤하려고 했을 때 거절했던 건, 친구로 있자고 했던 건 너무 빨리 친해지면 랑드리의 사랑이 식을까 봐 두려워서였어. 귀뚜라미가 랑드리 곁을 떠나려는 건, 랑드리 가족이 부끄러워하지 않는 랑드리의 아내가 되고 싶어서야."

랑드리는 울고 웃고 소리치며 닥치는 대로 파데트에게 입을 맞췄다. 그때였다. 파데트가 처음으로 먼저 랑드리에게 입맞춤을 했다. 얼굴이 빨개진 파데트는 가방을 집어 들더니 따라오지 말라고 손짓하며 달려갔다.

7장
지혜로운 파데트

랑드리는 집으로 가서 아버지에게 파데트가 마을을 떠나며 한 결심을 들려주었다. 바르보 씨는 파데트의 결심이 갸륵했다. 한편으로는 가엾기도 했지만 두 사람의 결혼을 반대하는 마음에는 변함이 없었다.

이제 바르보 씨의 집에서는 아무도 파데트를 입에 올리지 않았다. 파데트라는 이름만 나와도 랑드리의 얼굴색이 변했다. 파데트를 향한 사랑이 조금도 변하지 않았다는 걸 누구나 느낄 수 있었다.

실비네는 파데트가 떠나서 아주 기뻤다. 다시 랑드리가 자기를 가장 좋아할 것이라고 생각했던 것이다. 그러나 랑드리는 실비네의 마음과 달랐다. 파데트를 가장 좋아했고, 형은 그 다음이었다. 랑드리는 실비네가 파데트를 좋게 생각하도록 많이 노력했다. 그럴수록 실비네는 파데트를 더 싫어했다. 랑드리는 실비네한테 파데트 이야기를 더 이상 하지 않았다. 둘의 사이는 점점 더 멀어졌다.

랑드리는 카이요 씨의 막내아들이나 파데트의 동생과 자주 어울렸다. 실비네는 그 두 사람까지 질투했다.

웃음을 잃어버린 실비네는 어떤 일에도 금방 싫증을 느꼈고, 아무것도 관심을 갖지 않았다. 살은 점점 빠졌고 몸도 안 좋아졌다. 늘 열이 났고 열이 많이 오르면 이상한 말을 했다. 의사의 처방도 소용없었다.

마을 사람들은 실비네의 병은 약으로 나을 수 있는 병이 아니라며 수군거렸다. 쌍둥이 중 누군가 한 사람은 일찍 죽어야 한다는 미신을 믿는 듯했다.

어느 날 목욕탕 집 할머니가 실비네를 살릴 수 있는 방법은 딱 한 가지밖에 없다고 했다.

"여자 친구를 사귀게 해 봐. 병이 씻은 듯이 나을 테니."

"여자한테는 통 관심이 없어요. 게다가 동생이 여자 친구를 사귀고 난 뒤부터는 여자라면 쳐다보기도 싫어하는 걸요."

목욕탕 집 할머니가 안타까운 듯이 말했다.

"실비네도 진심으로 사랑하는 아가씨가 생기면 사랑에 푹 빠질 거야. 마음에 사랑이 가득한 아이니까. 문제는 그 사랑을 동생한테만 쏟는다는 거야. 그러니 어느 아가씨가 눈에 들어오겠어. 그래도 차차 나아질 테니 너무 걱정하지 마. 사랑하는 아가씨가 생기면 그 아가씨가 어떤 아가씨든지 꼭 맺어 줘. 실비네는 평생 한 아가씨만 사랑하게 될 거야."

바르보 씨는 할머니의 말을 믿었다. 그래서 기회 있을 때마다 실비네를 일부러 예쁜 아가씨가 있는 집으로 심부름을 보내 보기도 하고 아가씨들과 만나 보게도 했다. 하지만 실비네의 마음을 끄는 아가씨도 없었고, 실비네를 좋아하는 아가씨도 없었다.

카이오 씨가 바르보 씨에게 말했다.

"내가 옛날에도 말했지만, 쌍둥이를 잠시라도 떨어뜨려 놓는 게 어떻겠나? 반년쯤 떨어져서 지내면 효과가 있는지 없는지 알겠지."

카이요 씨는 랑드리를 프리시 마을보다 조금 더 먼 마을로 보내 보자고 했다. 실비네한테는 가서 일주일만 있는다고 해 놓고 날짜를 계속 미루자는 것이었다. 바르보 씨는 찬성을 했지만 바르보 씨의 아내가 반대했다. 그러면 실비네가 못 견딜 거라고 여겼다. 아내는 다른 방법을 생각했다. 랑드리를 보름쯤 집에서 실비네와 같이 지내게 하자고 했다. 실비네의 반응을 보고 결과가 안 좋으면 카이요 씨의 방법대로 해 보자고 했다.

랑드리가 집으로 돌아온 첫날에는 실비네가 아주 좋아했다. 그런데 날이 갈수록 고집固執을 부리고 자기 마음대로만 하려고 했다. 바르

고집(固執) : 자기의 의견을 바꾸거나 고치지 않고 굳게 버팀.

보 씨 부부는 카이요 씨의 말대로 둘을 헤어지게 할 수밖에 없었다.

랑드리는 별로 가고 싶지 않았지만 형을 위하는 일이라 아버지의 말씀에 순순히 따랐다.

랑드리가 떠난 첫날, 실비네는 무척 슬퍼했다. 그러나 하루 이틀이 지나자 서서히 안정을 되찾았다. 일주일이 지나자 열도 내리고 마음도 많이 차분해진 듯 보였다. 실비네는 이렇게 생각하고 있었다.

'랑드리는 그곳에 아는 사람도 별로 없으니까 친구를 사귀기 쉽지 않을 거야. 심심하고 답답해서 나만 생각하겠지? 그러다 돌아오면 나를 훨씬 더 좋아할 거야.'

랑드리가 고향을 떠난 지 석 달쯤 되던 어느 날 파데트가 돌아왔다. 고향을 떠난 지 1년 가까이 되었을 때였다. 할머니가 위독해져서 돌아온 것이었다.

파데트는 정성을 다해 돌봤지만 할머니는 결국 세상을 떠나고 말았다. 할머니의 장례식을 치르고 난 뒤 어느 밤이었다. 파데트는 난롯불 앞에 앉아 귀뚜라미가 우는 소

리를 가만히 듣고 있었다. 밖에는 추적추적 비가 내리고
있었다.

"파데트! 나야, 랑드리야!"

'랑드리? 랑드리가 왔어!'

파데트는 얼른 달려가 문을 열고 랑드리를 껴안았다.

"네가 왔다는 소식을 듣고 보고 싶어
서 달려왔어. 아침이 되면 다시 돌아가
야 해.'

1년 만에
다시 만났으니
정말 반가웠겠다.

따뜻한 난롯가에 앉은 두 사람은 그동
안 쌓인 이야기를 하며 밤을 지새웠다. 서
로 떨어져 지내는 사이 두 사람의 사랑
은 더 깊어졌다.

어느새 동이 터 돌아갈 시간이 다가왔다.
랑드리는 파데트와 헤어지기 싫어 거의 울상이 되었다.

"나 하루만 더 있다 갈까?"

"안 돼. 지금 돌아가."

"언제 또 만날지 어떻게 알아?"

파데트가 조용히 미소 지었다.

"걱정하지 마. 나 안 떠날 거야."

"정말?"

"실비네 병을 낫게 하기 위해서는 네가 그곳에서 지내야 한다는 말을 들었어."

"파데트, 형 때문에 정말 걱정이야. 형의 병을 낫게 할 좋은 방법이 없을까?"

"마음에 병이 들어서 그래. 마음의 병만 고치면 몸도 건강해질 거야. 한번 만나서 이야기를 해 보고 싶은데 실비네가 워낙 날 싫어하니까 어쩔 수가 없네."

"넌 똑똑하고 말도 참 잘하잖아. 말로 상대방의 마음을 움직이는 솜씨도 있어. 한 시간만 이야기해 봐 줘. 분명히 형도 네 말을 듣게 될 거야. 파데트, 제발 나를 위해서 한 번만 만나 줘."

랑드리의 부탁에 파데트는 차마 거절할 수 없었다. 둘은 몇 번이고 변하지 않는 사랑을 약속하며 헤어졌다.

이틀 뒤, 파데트는 단정하게 차려입고 집을 나섰다. 커

다란 바구니를 든 파데트는 바르보 씨를 만나러 가는 길이었다. 사람들은 처음에 파데트를 알아보지 못했다. 파데트는 떠나 있는 동안 키도 많이 크고 몰라보게 아름다워졌다. 마음속에 사랑과 행복이 가득했기 때문에 온몸에 생기生氣가 넘쳐흘렀다.

"안녕하세요. 바르보 씨를 만나러 왔는데 계신가요?"

바르보 씨 집에 들어선 파데트가 인사를 하자 실비네는 얼굴을 돌려 버리고는 퉁명스럽게 내뱉었다.

"아버지는 헛간에 계셔."

헛간으로 가서 인사를 하자 바르보 씨가 본체만체했지만 파데트는 침착하게 말했다.

"바르보 아저씨, 아저씨는 저를 안 좋게 생각하시겠지만 저는 아저씨가 마을에서 가장 정직하고 믿을 만한 분이시라고 생각합니다. 아시다시피 저는 오랫동안 랑드리와 친하게 지냈어요. 아저씨께서 얼마나 훌륭한 분이신지

생기(生氣): 싱싱하고 힘찬 기운.

랑드리한테 많이 들었답니다. 그래서 아저씨께 도움을 청하러 왔습니다."

바르보 씨는 예의 바른 파데트의 태도와 말씨에 마음이 누그러졌다.

"무슨 일인지 말해 보아라. 양심良心에 어긋나지 않는 일이라면 도와주마."

파데트는 커다란 바구니를 바르보 씨의 발 아래 내려놓으며 말했다.

"그동안 저희 할머니께서 모으신 돈이에요. 사람들 병을 고쳐 주고, 약초를 캐서 번 돈이지요. 할머니는 한 푼도 허투루 쓰시지 않고 돈궤에 차곡차곡 모으셨어요. 하루는 제게 말씀하셨죠.

'내가 죽거든 저걸 열어 봐라. 너와 자네를 위해 모은 돈이다. 너희들을 다른 아이들

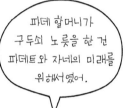

파데 할머니가 구두쇠 노릇을 한 건 파데트와 자네의 미래를 위해서였어.

양심(良心) : 자기의 행위에 대해 옳고 그름과 선악의 판단을 내리는 도덕적 의식.

처럼 잘 먹이지도 잘 입히지도 못하면서 모은 돈이지. 이 돈에 대해서는 절대 아무에게도 알리지 말고 평생 숨겨 두고 쓰도록 해라. 아껴 쓰면 늙어서도 편안하게 살 수 있을 거야.'

할머니 장례식을 치르고 난 뒤 말씀대로 돈궤를 열어 보았더니 제가 생각했던 것보다 훨씬 많은 돈이 들어 있었어요. 그런데 이 돈을 어떻게 해야 좋을지 몰라서 이렇게 모두 가져왔어요. 유산으로 물려받은 돈은 법적 절차를 밟아야 한다고 들었는데, 아저씨께서 좀 알아봐 주시겠어요?"

바르보 씨는 바구니를 열어 보고 싶은 마음을 억누르며 말했다.

"믿어 줘서 고맙지만 나한테는 권리가 없다. 할머니께서 유언은 안 남기셨니?"

"유언은 없으셨어요. 엄마와는 벌써 오래전에 연락이 끊겼고, 친척이 있기는 한데 관리를 잘해 주실 분이 아니어서 잘못하면 돈을 다 날릴 거예요."

바르보 씨는 바구니를 들어 보고는 깜짝 놀랐다.

"바구니가 무척 무겁구나. 그 안에 든 게 다 돈이라면 상당한 액수겠는걸."

눈치 빠른 파데트는 바르보 씨가 바구니 속을 보고 싶어 한다고 생각했다. 막상 파데트가 바구니를 열어 보여 주려고 하자 바르보 씨는 거절했다.

"파데트, 난 네 재산을 맡을 수가 없다. 그러니까 볼 필요도 없지."

파데트가 큰 부자래. 이제 바르보 씨가 랑드리와 파데트의 결혼을 허락하지 않을까?

"아저씨, 저는 돈 계산도 잘 못하고, 옛날 돈과 지금 돈의 가치를 몰라요. 그러니 아저씨께서 보시고 이 돈이 얼마나 되는지 좀 알려 주세요."

"그 정도야 할 수 있지. 어디 보자."

파데트는 얼른 바구니 뚜껑을 열었다. 바구니 안에는 금화와 은화가 가득했다. 이렇게 많은 돈을 태어나서 처음 본 바르보 씨의 눈이 휘둥그레졌다. 계산해 보니 파데트의 재산은 바르보 씨보다도 많았다.

"굉장하구나. 넌 큰 부자야. 이 돈이면 너는 물론 네 동생도 평생 편안하게 지낼 수 있어. 좋은 신랑감을 구하고 싶으면 이 돈을 자랑하렴."

"제가 부자라는 건 비밀로 해 주세요. 전 못생겼지만 돈으로 신랑감을 구하고 싶지는 않아요. 저의 착한 마음씨와 좋은 점을 아는 사람과 결혼할 거예요. 급할 건 없으니까 천천히 기다려 봐야죠."

"그래, 네 말이 옳다. 이 돈은 다시 가지고 가서 잘 숨겨 놓으렴. 내가 맡는 건 법에도 어긋나고 혹시나 오해를 받을 수도 있을 테니까. 대신 다른 사람과 의논을 해 보마. 그럼 네 재산을 잘 관리할 수 있는 방법도 알게 될 거다. 물론 네 이름은 비밀로 해야겠지. 만일 물려받은 돈이 얼마인지 증언(證言)해야 할 때가 오면 내가 증언해 주마. 정확한 액수를 벽에 적어 두면 잊지 않을 거다."

증언(證言) : 어떤 사실을 증명함. 또는 그 말.

파데트가 원한 건 사실 자기 재산이 얼마인지 바르보 씨가 알기를 바랐던 것이다. 파데트가 돌아가는 뒷모습을 보며 바르보 씨가 중얼거렸다.

"참 참하고 지혜로운 아가씨로군. 랑드리의 신붓감으로 손색이 없어. 집안이 기울기는 하지만 부자니까 흉이 되지 않을 거야."

바르보 씨는 파데트가 1년 동안 일했던 곳에서 어떻게 지냈는지 알아보았다. 파데트는 노부인의 하녀로 일하며 예의 바르고 성실하게 일해서 칭찬을 많이 받았다.

바르보 씨는 가족과 친척들한테도 파데트가 어떻게 행동하는지 잘 살펴보라고 했다. 조금이라도 눈에 거슬리는 행동을 하면 랑드리와 헤어지게 할 생각이었다.

파데트는 얌전히 집에서 지내며 집안을 깨끗하게 치우고 자네를 돌보며 지냈다. 자네는 얼굴도 뽀얗고 살도 올라 예전의 지저분한 모습을 찾아볼 수 없었다. 누나의 가르침에 따라 성격도 많이 좋아졌다.

파데트가 부자가 됐다는 사실을 마을 사람들은 알지 못

했다. 그럼에도 마을 사람들은 입에 침이 마르도록 파데트를 칭찬했다. 파데트에 대한 나쁜 소문이 사실이 아니었다는 것을 알게 되자 바르보 씨는 기뻤다.

파데트가 자신의 단점을 고치려고 노력하더니 마을 사람들의 칭찬을 받는 아가씨가 되었어.

바르보 씨는 랑드리를 돌아오게 할 생각이었다. 실비네는 가족들이 랑드리와 파데트 사이를 반대하지 않는다는 걸 깨달았다. 그럴수록 실비네는 파데트가 미웠다. 자기한테서 랑드리를 빼앗아 가는 적이었으니까. 랑드리의 결혼은 실비네에게는 가장 슬픈 일이었다. 랑드리와의 영원한 이별을 뜻하는 것이었기 때문이다.

열이 다시 오르기 시작한 실비네는 앓아누웠다.

어머니는 파데트가 아픈 사람을 잘 치료한다는 말을 듣고 파데트를 불렀다. 파데트는 랑드리와 약속한 것도 있어서 당장 달려왔다.

파데트는 실비네와 단둘이 있게 해 달라고 했다. 사람들이 나가자 파데트는 한 손은 잠든 실비네의 손을 살그머니 잡고, 한 손은 이마에 얹었다. 실비네는 이리저리 몸을 뒤척이다 차츰 안정安靜을 되찾았다. 뜨겁던 머리와 손에서 열이 내리자 실비네는 편안하게 잤다. 파데트는 실비네가 눈을 뜰 때까지 곁에 있다가 집으로 돌아갔다.

저녁에 실비네는 또 열이 올랐다. 헛소리까지 했다. 파데트가 다시 와서 아침처럼 실비네를 돌보았다. 다시 열도 내리고 헛소리도 멈췄다.

파데트가 요술을 부린 건 아니었다. 동생 자네가 아팠을 때처럼 간절히 기도를 했을 뿐이었다. 파데트는 건강한 사람이 진실한 마음으로 환자를 위해 간절히 기도를 하면 낫는다고 믿었다.

"저의 건강한 기운을 환자의 몸속에 불어넣어 주십시오. 만일 제 생명이 필요하시다면 기꺼이 바치겠나이다."

환자에게 깊은 사랑이 있을 때만 통하는 기도였다.

바르보 씨는 파데트와 랑드리를 결혼시키기로 마음먹

안정(安靜) : 육체적으로 편안하고 고요함.

었다. 그러나 자신을 무시하고 업신여겼던 일을 파데트가 가슴에 담아 두고 있을까 봐 걱정이었다.

파데트가 부자라는 사실이 바르보 씨의 마음을 바꿔 놓은 건 아닐까?

어느 날 바르보 씨는 파데트를 만나 이야기했다.

"파데트, 솔직率直하게 말해 주길 바란다. 할머니께서 돌아가시기 전에 이렇게 부자가 될 줄 알았니?"

"조금은 알고 있었어요. 할머니께서 금화나 은화를 세는 걸 자주 봤으니까요. 아이들이 다 떨어진 옷을 입은 저를 놀리면 이렇게 말씀하셨죠. '신경 쓰지 마. 너희들은 재들보다 더 큰 부자가 될 거니까.'"

"그러면 랑드리도 네가 부자라는 걸 알고 있니? 랑드리가 널 좋아하는 게 돈 때문이 아닐까?"

"바르보 아저씨, 랑드리는 진심으로 저를 사랑해요. 제

솔직(率直) : 거짓이나 숨김이 없이 바르고 곧음.

가 부자든 가난하든 변함없이 사랑할 거예요."

"랑드리가 지금도 널 사랑한다고 생각하니?"

"물론이지요. 할머니께서 돌아가신 뒤에 랑드리가 저를 찾아왔어요. 그때 랑드리는 저하고 결혼을 하지 못할 바에는 차라리 죽는 게 낫겠다고 했어요."

"너는 뭐라고 했니?"

"저는 부모님의 허락을 받지 못하는 결혼은 하고 싶지 않다고 했어요. 저를 부끄럽게 여기는 집안의 며느리가 되고 싶지는 않으니까요."

파데트가 당당하게 말하는 것을 보니 바르보 씨는 불안했다.

"그것 때문에 랑드리와의 결혼을 망설인다면 걱정하지 마라. 우리 가족은 너를 훌륭한 아가씨로 생각하고 있단다. 그래서 우리 가족으로 맞아들이려고 한다. 네가 부자가 되었다고 해서 그런 건 절대 아니란다. 네가 랑드리와 사귀는 걸 반대했던 건 네가 가난해서가 아니라 나쁜 소문 때문이었어. 떠도는 소문이 사실이었다면 절대 허락하지 않았을 거다. 하지만 나쁜 소문은 다 거짓이더구나. 랑드리 말대로 너는 참 똑똑하고 바른 사람이라는 걸 알았다. 그러니까 내 아들과 결혼해 달라고 부탁하러 왔단다. 너만 좋다면 일주일 안에 랑드리가 돌아오게 하마.”

파데트는 말할 수 없이 기뻤다. 하지만 기쁜 마음을 드러내지는 않았다.

“아직도 우리 가족한테 섭섭한 게 남아 있니? 이 늙은 이가 약속할 테니 믿어 주렴. 너는 우리 집안의 사랑을 듬뿍 받고 존중尊重도 받을 거다. 이때까지 한 번도 남을 속인 적 없는 나를 믿으렴. 자, 이제 화해의 뜻으로 내게 입맞춤을 해 주려무나. 난 너를 내 며느리로 정했다.”

파데트는 기쁨을 더 숨길 수 없어서 바르보 씨의 품에 안겼다.

존중(尊重) : 높이어 귀중하게 대함.

8장
밀려드는 행복

랑드리와 파데트의 결혼 날짜가 정해졌다. 랑드리가 돌아오는 일만 남았다. 그런데 랑드리의 어머니가 파데트를 찾아와 결혼식을 며칠만 미루자고 했다. 랑드리와 파데트가 결혼한다는 말을 듣고 실비네가 또 병이 난 것이었다.

파데트가 랑드리의 어머니에게 말했다.

"지난번에 제가 열을 내려 줬다는 걸 실비네가 안다고 하셨지요? 실비네가 저를 옆에 오지도 못하게 할 거예요."

"아냐, 아프니까 널 찾더라. 네가 있어야 나을 것 같다면서 말이야. 내가 널 데리러 간다고 했더니 좋아하던걸."

"그럼 가야죠. 그런데 어떻게 치료해야 좋을지 모르겠

어요. 실비네는 몸에 병이 든 게 아니라 마음에 병이 들었거든요. 랑드리는 실비네가 다 나은 다음에 오도록 하는게 좋겠어요. 제가 그동안 실비네의 병이 낫도록 애써 볼게요."

파데트가 방에 들어서자 실비네는 뚱한 표정으로 아무 말도 하지 않았다. 파데트가 맥을 짚으려고 하자 손을 홱 빼고 얼굴을 돌렸다. 파데트는 모두 나가게 하고 실비네와 단둘이 남았다. 불을 끄자 달빛이 스며들었다.

파데트가 실비네의 마음의 병을 고칠 수 있을까?

"실비네, 지금부터 내가 묻는 말에 사실대로 말해 줘요. 날 속일 생각은 하지 말아요. 자, 내 손에 당신 손을 얹어요."

예전에는 돌이나 던지던 말괄량이 파데트가 엄격한 표정으로 명령하듯 말하자 실비네는 어리둥절하면서도 아이처럼 순순히 손을 내밀었다.

"실비네, 당신이 죽고 싶어 한다고 들었어요. 맞나요?"

실비네는 한참을 뜸을 들이다 말했다.

"죽는 게 더 행복하지 않을까? 난 가족들을 슬픔과 괴로움에 빠뜨리잖아. 몸도 약하고. 그리고……."

"그리고 또 뭐죠?"

실비네는 잔뜩 풀이 죽어서 말했다.

"다른 사람 원망만 하고……."

"심술도 잘 부리죠. 마음씨가 나빠서 그런 거예요."

"마음씨가 나쁘다고? 그런 지독한 말은 처음 들어."

피데트가 너무 심하게 말하는 것 같은걸. 실비네가 상처를 받아 병이 더 깊어지겠어.

"난 사실을 말하고 있는 거예요. 다 말할까요? 실비네, 당신 병은 별로 심하지 않아요. 그 병은 당신이 키운 병이에요. 당신은 나쁜 마음만 가득하고 패기[覇氣]도 없어요."

"패기가 없다는 건 인정해. 하지만 나쁜 마음이 가득하

패기(覇氣) : 어떤 어려운 일이라도 해내려는 굳센 기상이나 정신.

다고? 난 이런 말을 들을 정도로 잘못한 적이 없어."

"변명하지 말아요. 당신은 겁쟁이에다 자기밖에 모르고 고마움도 몰라요."

"랑드리가 그렇게 말했니? 랑드리가 나에 대해 나쁘게 말해서 너도 덩달아 이러는 거야?"

"이럴 줄 알았어요. 당신은 동생을 사랑한다면서 동생을 원망만 하는군요. 그래서 마음씨가 나쁘다고 한 거예요. 당신이 랑드리를 사랑하는 마음은 너무 이기적이에요. 그러니까 원망만 쌓이는 거라고요. 당신이 랑드리를 사랑하는 마음보다 랑드리가 당신을 사랑하는 마음이 더 깊을 거예요. 증거를 대 볼까요? 당신이 아무리 괴롭혀도 랑드리는 투덜대지 않아요. 그게 당신과 랑드리의 차이예요. 랑드리가 당신을 좋게 이야기할수록 난 당신이 나쁘게 여겨졌어요. 이렇게 착한 동생을 마음 아프게 하니 마음씨가 나쁜 게 틀림없다고요."

"넌 나를 싫어해. 그래서 나를 헐뜯어서 랑드리와 내 사이를 멀어지게 한 거야."

"당신은 참 비뚤어진 사람이네요. 난 당신을 싫어하지 않아요. 당신보다 더 나를 미워하고 무시한 사람은 없었어요. 하지만 난 당신의 병을 낫게 하기 위해 당신의 손을 잡고 간절히 기도했어요. 하느님께서 제 기도를 받아 주셔서 당신은 열도 내리고 헛소리도 하지 않았어요."

실비네는 입을 꾹 다물고 아무 말도 하지 않았다. 파데트는 계속해서 심한 말로 실비네를 다그쳤다.

"실비네, 가족들은 죽고 싶다는 당신 말만 믿고 슬퍼하며 괴로워했어요. 난 안 속아요. 난 당신이 다른 사람들보다 더 죽는 걸 두려워한다고 생각해요. 죽겠다고 겁을 주면 당신 마음대로 다 되기 때문에 죽고 싶다고 말하는 것뿐이죠.

당신이 나처럼 가난하고 어려운 집에서 태어났다면 어땠을까요? 끼니도 제대로 때우기 어려울 정도로 가난한 집안에서 태어나 어른들에게 구박만 받고 자란 사람들도 많아요. 만약 당신이 그런 집에서 태어났다면 작은 일에도 감사할 줄 아는 사람이 됐을 거예요. 아프기만 하면 당

신이 원하는 것이 이루어지니까 자신도 모르게 자꾸 열이 나고 아픈 거예요."

실비네는 한마디도 못하고 가만히 듣고만 있었다. 파데트는 너무하다 싶을 정도로 말했다는 걸 잘 알고 있었다. 하지만 실비네가 자기 잘못을 깨닫고 깊이 반성(反省)을 해야 마음의 병을 고칠 수 있다고 생각해 일부러 더 심하게 말했던 것이다.

아침에 파데트가 다시 갔을 때 실비네는 아주 침착해져 있었다. 예전과 달리 실비네가 먼저 파데트에게 손을 내밀었다.

"실비네, 손을 왜 내미는 거죠? 열을 재 보라고요? 열은 없는 거 같은데요."

"아니, 아침 인사를 하고 싶었어. 네가 나 때문에 너무 고생한 것 같아서 고맙다는 인사도 하고 싶었고."

파데트는 실비네의 손을 꼭 잡았다.

반성(反省) : 자신의 말이나 행동에 대해 잘못이나 부족함이 없는지 돌이켜 봄.

"그럼 아침 인사를 받을게요. 난 다른 사람의 마음을 거절한 적이 없거든요."

"너한테 그렇게 혼이 났는데도 널 원망하고 싶지 않아. 이유는 잘 모르겠어. 그렇게 혼났는데도 오늘 아침 널 보니 참 기뻐."

파데트는 어제와 다르게 상냥하고 부드럽게 이야기를 했다. 실비네는 울면서 진심으로 자기 잘못을 뉘우치고 그동안의 잘못을 사과했다. 이야기를 하는 내내 실비네는 파데트의 손을 놓지 않으려고 했다. 파데트의 손이 병과 슬픔을 낫게 해 주는 것 같았다. 실비네가 많이 나아진 것을 확인하고 파데트는 집으로 돌아가려고 했다.

지혜로운 파데트가 실비네의 마음의 병을 고쳤어.

"파데트, 오늘 저녁에도 올 거야?"

"아니요. 이제 다 나았잖아요."

"그럼 이제 우리 집에 또 안 올 거야?"

"당신이 우리 집에 오면 되잖아요. 그리고 내가 랑드리와 결혼하면 우리는 한식구가 될 거예요."

사흘 뒤, 실비네는 랑드리를 데리러 떠났다. 누구보다 먼저 파데트와의 결혼을 축복해 주고 싶었기 때문이다.

바르보 씨 가족의 앞날에는 즐거운 일만 가득했다. 막내딸이 랑드리와 가장 친한 친구인 카이오 씨의 막내아들과 약혼을 했다. 랑드리와 파데트의 결혼식은 이들 결혼식과 함께 올렸다. 실비네는 이제 아프지도 않았고 질투 같은 것도 사라졌다. 이따끔 슬픈 표정을 지었는데 파데트가 주의를 주면 이내 웃음을 지었다.

랑드리와 파데트가 결혼하고 한 달쯤 지나서 아버지는 실비네에게도 결혼을 하라고 했다. 하지만 실비네는 결혼할 생각이 없다며 군대에 가겠다고 했다. 오래전부터 꼭 하고 싶었던 일이라면서 말이다.

랑드리를 비롯해서 가족 모두가 설득해도 소용이 없었다. 파데트가 나서기로 했다. 파데트는 실비네와 아주 오랫동안 이야기를 나누었다. 이야기를 마칠 때 실비네와 파데트 둘 다 울었다. 실비네는 군대에 가겠다는 결심을 바꾸지 않았고, 파데트도 더 이상 반대하지 않았다. 파데트가 가족에게 미처 다 말하지 못하는 이유가 있는 줄은 아무도 몰랐다.

랑드리는 군대로 떠나는 실비네를 따라 멀리까지 함께 갔다. 지고 갔던 짐을 실비네에게 건네는 순간, 심장을 도려내는 듯이 아팠다. 집으로 돌아온 랑드리는 한 달이나 앓았다.

파데트가 말하지 못하는 이유라는 게 뭘까?

실비네는 군대에서 열심히 노력해 훌륭한 군인으로 인정을 받았다. 용감하게 전쟁터에 뛰어들었고, 무슨 일이든 앞장서서 열심히 했다. 10년 뒤에는 높은 자리에 올라 훈장까지 받았다.

기쁜 소식을 전하는 실비네의 편지를 읽고 바르보 씨의 아내가 말했다.

"이제 그만 돌아왔으면 좋겠어요."

"나는 실비네가 왜 갑자기 군대에 가겠다고 했는지 아직도 모르겠소. 늘 조용한 것만 좋아하던 애가 말이야."

바르보 씨의 말에 아내가 한숨을 내쉬며 말했다.

"여보, 사실은 며늘아이가 말하지 못한 게 있어요."

"그게 뭐지? 말해 보구려."

"파데트가 아픈 실비네를 치료할 때 너무 정성을 쏟은 게 잘못이라면 잘못이지요. 그때 그만 실비네가 파데트한 테 마음을 빼앗긴 모양이에요. 실비네는 자기 동생의 아내를 사랑하는 꼴이 되었으니 동생 부부를 위해 군대로 가 버린 거예요. 눈치를 챈 파데트가 실비네의 마음을 되돌리려고 해 보았지만 뜻대로 안 됐던 것 같아요."

"흠, 언젠가 목욕탕 집 할머니가 그랬지. 기억나오? 실비네가 여자를 좋아하게 되면 동생을 향한 애틋한 마음이 사라질 거라고. 하지만 실비네는 평생 한 여자만 사랑할 거라고. 오직 한 여자만."

PART 3 PART 3
PART 3 PART 3 PART 3
PART 3 PART 3 PART
PART 3 PART 3 PART 3 PART
PART 3 PART 3 PART 3 PART 3
PART 3 PART 3 PART 3 PART 3 PART 3
PART 3 PART 3 PART 3 PART 3 PART
PART 3 PART 3 PART 3 PART 3 PART 3
PART 3 PART 3 PART 3 PART
PART 3 PART 3 PART 3
PART 3 PART 3 PART 3

논술을 잘하려면
독창적인 생각이 필요해!

PART 3

깊어지는 논술

사랑의 요정 (Le Petite Fadette)

  프랑스 작가 조르주 상드가 1849년에 발표한 〈사랑의 요정〉은 못생기고 보잘것없다고 생각하는 한 소녀가 사랑에 눈뜨면서 변해 가는 모습을 그린 작품이에요.

  〈사랑의 요정〉을 쓸 무렵 상드는 파리를 떠나 어린 시절을 보낸 시골에서 지내며, 아름다운 자연과 더불어 꾸밈없이 살아가는 사람들의 이야기를 담은 전원 소설을 많이 썼어요.

  자연을 좋아했던 상드는 자연 속에서 소박하게 살아가는 사람들의 삶에 큰 감동을 받았어요. 그런 마음이 전원 소설을 쓸 때 많은 도움을 주었지요. 상드가 쓴 전원 소설들은 좋은 평가를 받았어요. 상드의 수많은 작품 가운데 전원 소설들을 으뜸으로 꼽는 사람도 많지요. 〈사랑의 요정〉도 순수한 사랑의 감정과 자연 풍경을 섬세하게 잘 표현했다는 좋은 평가를 받고 있답니다.

◀ 조르주 상드는 프랑스 농촌 지방의 아름다운 자연을 좋아해 전원 소설을 많이 발표했어요.

조르주 상드 (George Sand, 1804 ~1876)

프랑스 낭만파를 대표하는 작가 조르주 상드는 프랑스 파리에서 태어났어요. 원래 이름은 오로르 뒤팽으로 조르주 상드는 필명이지요. 어렸을 때 아버지를 잃고 할머니 밑에서 자란 상드는 시골에서 자라면서 일찍부터 자연의 아름다움에 눈을 떴어요. 상드는 지방 귀족과 결혼했지만 행복 없는 결혼 생활을 떨치고 파리로 떠났어요. 1832년에 '조르주 상드' 라는 필명으로 발표한 소설 〈앵디아나〉로 큰 인기를 얻으면서 이름을 날리기 시작했지요.

상드는 남자처럼 옷을 입고 작가들과 어울리며 열심히 글을 썼어요. 이 무렵 인습에 얽매이지 않고 자유롭게 연애를 해서 관심을 끌었지요. 음악가 쇼팽, 시인 뮈세와 나눈 사랑이 유명했답니다. 또한 상드는 여성의 자유와 권리를 위해 앞장서서 싸운 사람으로 평가 받기도 해요. 또 다른 작품으로는 〈앵디아나〉, 〈발랑틴〉, 〈콩쉬엘로〉, 〈내 삶의 역사〉 등이 있습니다.

▲ 사랑을 이루어 나가는 파데트의 마음 씀씀이가 감동적인 〈사랑의 요정〉 표지예요.

나는 사랑만큼 아름다운 감정은 없다고 생각해요!

사람을 천사로 만드는 '사랑의 힘'

　〈사랑의 요정〉에서 파데트가 하는 말들을 읽으며 고개를 끄덕이지 않았나요? 어려움이 닥쳐도 포기하지 않고 사랑을 이룬 파데트가 놀랍지 않나요? 사람들에게 무시당하고 손가락질만 받던 파데트가 사랑을 이룰 수 있었던 이유는 무엇일까요?

파데트는 마을 사람들 모두에게 '지저분하다', '못생겼다', '도깨비 요정이다' 등의 이유로 따돌림을 받았어요. 자기를 알지도 못하면서 겉모습만 보고 비웃는 사람들 때문에 파데트는 외톨이가 되었어요.

　파데트는 친구를 사귀고 싶고 아이들과 사이좋게 지내고 싶었지만 차마 입 밖에 내지 못했어요. 거부당할까 봐, 더 크게 상처를 받을까 봐 두려웠기 때문이에요. 사람들 놀림처럼 자기가 정말 형편없는 사람일지도 모른다는 움츠러든 마음 때문이기도 했지요.

랑드리와의 관계도 마찬가지였어요. 파데트는 어릴 때부터 랑드리를 좋아했지만 가슴속에 남몰래 간직해야 했어요. 랑드리 같은 멋진 남자아이가 자기와 친구가 되어 줄 거라고는 상상도 할 수 없었기 때문이에요. 랑드리한테 말을 걸 수 있는 건 놀릴 때뿐이었지요. 그렇게라도 관심을 끌고 싶었던 거예요.

　　만일 랑드리가 다른 사람들처럼 파데트의 진실한 마음과 고운 마음씨를 알아보지 못했다면 아마 파데트는 영원히 달라지지 않았을 거예요. 점점 더 사나운 외톨이가 되었겠지요. 다행히 랑드리는 다른 사람들과 달랐어요. 도움을 받은 것에 대한 고마움, 약속을 못 지킨 것에 미안함, 사과할 수 있는 용기를 갖고 있었지요.

랑드리는 마음을 열고 파데트의 진실한 이야기에 귀를 기울였어요. 말괄량이에 못된 아이인 줄만 알았던 파데트는 누구보다 생각이 바르고 깊었어요. 그제야 랑드리는 자기의 편견을 깨닫고 열린 마음으로 파데트를 바라보았어요. 랑드리는 파데트의 참된 모습과 아름다움에 점점 더 빠져들게 되었지요.

파데트 또한 마음을 열고 랑드리를 대했어요. 자기 말에 귀 기울여 주는 것을 알고 진심을 털어놓았지요. 랑드리가 진심으로 대했기에 랑드리의 충고도 받아들일 수 있었어요. 단점을 지적하며 달라져야 한다는 말이 자존심 상할 수도 있었지만 말이에요.

랑드리를 사랑하는 마음, 랑드리에게 사랑받고 싶은 마음이 파데트에게 용기를 주었어요. 용기는 상처를 두려워하지 않게 했어요. 파데트는 랑드리의 충고대로 서서히 자기를 변화시켜 나갔어요. 분노나 증오심, 억울함 등 다른 사람들을 향한 나쁜 감정을 마음속에서 몰아냈어요.

파데트는 사랑의 힘으로 자기를 변화시키고 행복해지려고 노력했던 거예요. 자칫하면 쉽게 포기할 수 있었지만 파데트는 랑드리의 사랑을 믿었기에 더 힘낼 수 있었어요. 마침내 파데트는 마을 사람들 모두가 입에 침이 마르도록 칭찬하는 사람이 되었지요.

파데트는 모두가 두려워하고 멀리하는 사나운 외톨이가 됐을 수도 있었어요. 하지만 파데트는 아름답고 지혜로운 사람, 모두가 가까이하고 싶은 멋진 사람이 되었답니다. 과연 무엇 때문이었을까요?

바로 사랑하는 사람의 사랑을 받고 싶다는 마음에서 변화가 시작됐어요. 사랑의 믿음이 상처를 두려워하지 않는 용기를 불어넣었어요. 예전의 나를 버리고 아픔을 참고 더 나은 사람이 되도록 노력하게 하는 힘, 그것이 바로 사랑입니다.

PART 4

넓고 깊고 멀리 생각해야
논술을 잘할 수 있단다.

PART 4

논술 워크북

1-1 랑드리가 파데트에게 사랑을 느낀 것은 언제였나요?

1-2 실비네는 왜 군대에 갔나요?

HINT

본문을 잘 읽고 물음에 답하세요.

2 〈사랑의 요정〉을 읽은 후에 쓰여진 다음 두 감상 가운데
어떤 것이 더 적절하다고 생각하나요? 또 그렇게 생각하
는 까닭은 무엇인가요?

(가) 파데트가 거칠고 지저분할 때는 다른 사람들에게 따돌림
을 당했다. 그러나 깨끗하고 얌전하게 변한 뒤로 사람들의 시선
이 달라졌다. 사람은 역시 단정하고 예의 바르게 행동해야 한다.

(나) 겉모습에 현혹되지 않고 서로를 사랑한 랑드리와 파데트
의 사랑이 아름답게 느껴진다. 시골 마을을 배경으로 그려지는
이야기들이 신비롭고 낭만적이다.

HINT

두 감상 가운데 어느 것이 더 〈사랑의 요정〉의 주제를 잘 아우르고 있을까요?

3 쌍둥이는 사람들의 호기심을 자극하는 존재입니다. 쌍둥이가 어떤 면에서 사람들의 관심거리가 되는지 생각해 보고, 쌍둥이가 나오는 다른 이야기들로는 어떤 것이 있는지도 찾아 이야기해 보세요.

HINT

도서관이나 인터넷을 이용해서 쌍둥이가 소재로 쓰인 작품을 찾아보세요.

4 '사람의 겉모습은 그 사람이 어떤 사람인지 말해 주지 않는다.' 는 주장에 대하여 어떻게 생각하나요? 여러분의 생각에 따라서 이 주장을 옹호하거나 반대하는 논증을 만들어 보세요.

HINT

주장을 뒷받침하는 적절한 근거가 어떤 것일지 생각해 보세요.

5 다음은 〈사랑의 요정〉 가운데 한 부분입니다.

"난 사실을 말하고 있는 거예요. 다 말할까요? 실비네, 당신 병은 별로 심하지 않아요. 그 병은 당신이 키운 병이에요. 당신은 나쁜 마음만 가득하고 패기도 없어요."

"패기가 없다는 건 인정해. 하지만 나쁜 마음이 가득하다고? 난 이런 말을 들을 정도로 잘못한 적이 없어."

"변명하지 말아요. 당신은 겁쟁이에다 자기밖에 모르고 고마움도 몰라요."

"랑드리가 그렇게 말했니? 랑드리가 나에 대해 나쁘게 말해서 너도 덩달아 이러는 거야?"

"이럴 줄 알았어요. 당신은 동생을 사랑한다면서 동생을 원망만 하는군요. 그래서 마음씨가 나쁘다고 한 거예요. 당신이 랑드리를 사랑하는 마음은 너무 이기적이에요. 그러니까 원망만 쌓이는 거라고요. 당신이 랑드리를 사랑하는 마음보다 랑드리가 당신을 사랑하는 마음이 더 깊을 거예요. 증거를 대 볼까요? 당신이 아무리 괴롭혀도 랑드리는 투덜대지 않아요. 그게 당신과 랑드리의 차이예요. 랑드리가 당신을 좋게 이야기할수록 난 당신이 나쁘게 여겨졌어요. 이렇게 착한 동생을 마음 아프게 하니 마음씨가 나쁜 게 틀림없다고요."

"넌 나를 싫어해. 그래서 나를 헐뜯어서 랑드리와 내 사이를 멀어지게 한 거야."

"당신은 참 비뚤어진 사람이네요. 난 당신을 싫어하지 않아요. 당신보다 더 나를 미워하고 무시한 사람은 없었어요. 하지만 난 당신의 병을 낫게 하기 위해 당신의 손을 잡고 간절히 기도했어요. 하느님께서 제 기도를 받아 주셔서 당신은 열도 내리고 헛소리도 하지 않았어요."

실비네는 입을 꾹 다물고 아무 말도 하지 않았다.

– 제 8장

윗글을 읽고서 실비네의 문제점에 대하여 서술하고, 사랑과 집착의 차이점에 대하여 논술해 보세요.

실비네가 동생을 대한 태도는 사랑일까요, 집착일까요?

6 다 쓴 글을 친구나 부모님 앞에서 발표해 보세요. 그리고 듣는 사람이 고개를 끄덕이는지 아니면 고개를 갸우뚱하는지 반응도 살펴보세요. 발표가 끝난 후 평가도 부탁해 보세요.

가이드북
GUIDE BOOK

논술을 잘하려면
낱말의 뜻을 정확히
아는 것이 중요해.

작품의 전체 줄거리

쌍둥이 형제 실비네와 랑드리는 유난히 사이가 좋습니다. 어릴 때부터 잠시도 떨어지려 하지 않았던 형제는 집안이 어려워지면서 처음으로 헤어지게 됩니다. 이웃 마을에 일꾼으로 간 동생 랑드리는 곧 달라진 환경에 적응하지만, 형 실비네는 동생만을 그리워하면서 몸과 마음이 쇠약해져 갑니다. 파데트는 마을에서 요술쟁이로 불리는 별난 소녀로, 마을 어른들이 몹시 꺼리는 존재입니다. 마을 축제 때 랑드리는 파데트와 함께 춤을 추게 되고, 이 일을 계기로 둘 사이에 사랑이 싹틉니다. 현명한 파데트의 행동으로 랑드리 부모님에게 결혼을 허락받지만, 실비네는 질투로 인해 파데트를 미워합니다. 마음의 병으로 앓아누운 실비네를 찾은 파데트는 그를 간호하면서 그의 나약한 정신을 일깨워 줍니다. 랑드리와 파데트는 모두의 축복 속에서 결혼하여 행복한 생활을 하고, 군대에 입대한 실비네는 성공적인 군인 생활을 합니다.

〈사랑의 요정〉의 의미

프랑스 작가 조르주 상드의 소설로 1849년에 발표되었습니다. 쌍둥이 형제와 요술쟁이로 불리며 모두에게 따돌림 당하던 한 소녀가 사랑에 눈뜨면서 변해 가는 모습이 전원을 배경으로 섬세하게 그려지고 있습니다. 사랑의 감정을 낭만적이고 서정적으로 묘사하고 있어 서정 소설, 낭만 소설로도 불리며 전원을 배경으로 하고 있어서 전원 소설로도 불립니다.

조르주 상드는 현실의 심각하고 불쾌한 면보다는 이상적인 산뜻한 세계를 주로 그리면서 동화처럼 순수한 느낌을 주는 소설들을 주로 쓴 것으로 알려져 있는데, 〈사랑의 요정〉 또한 이러한 경향을 잘 보여 주고 있습니다.

1-1 사고 영역 _ 사실적 이해

본문을 잘 읽었는지 확인하는 문제입니다.

랑드리는 파데트를 전혀 좋아하지 않았습니다. 그런데 파데트와 춤을 추고서 사람들이 파데트를 놀리는 것을 보고 연민을 갖게 되었습니다. 그러다가 그녀가 우는 것을 보고 위로하면서 처음으로 진지한 대화를 나누게 됩니다. 이때 랑드리는 파데트가 자신이 생각하던 심술궂고 못된 소녀가 아니라 지혜롭고 바른 마음을 가진 소녀라는 것을 깨닫고 사랑의 감정을 느끼게 된 것입니다.

1-2 사고 영역 _ 사실적 이해

본문을 잘 읽었는지 확인하는 문제입니다. 작품을 잘 읽었다면, 바르게 답할 수 있습니다.

실비네는 쌍둥이 동생 랑드리를 빼앗긴 듯한 기분에 파데트를 미워했습니다. 그러나 파데트에게 마음의 병을 치료 받으면서 자기도 모르게 그녀를 사랑하게 되었지요. 동생의 아내에게 사랑을 느꼈기 때문에 실비네는 가족의 곁을 떠나서 군대에 입대한 것입니다.

✓ CHECKPOINT

본문을 읽고서 주요 내용을 바르게 파악했는지 확인합니다.

2 사고 영역 _ 비판적 사고

작품에 대한 적절한 감상이 어떤 것인지 가려 보면서, 비판적 사고력을 기르고 작품에 대한 이해도를 높입니다.

(가)는 〈사랑의 요정〉의 내용과 주제를 지나치게 좁은 의미에서 바라보고 있습니다. 〈사랑의 요정〉은 진실한 사랑을 낭만적으로 그리고 있는데, (가)의 감상은 지나치게 교훈적인 측면에서의 감상을 말하고 있습니다. 또한 말하고 있는 내용 역시 적절하다고 볼 수 없습니다. 겉모습과 처한 조건은 보잘것없었지만 지혜롭고 마음씨가 고운 여주인공이 전달하고 있는 메시지를 거의 반대로 해석하고 있습니다.

반면에 (나)는 〈사랑의 요정〉의 전체 내용을 잘 아우르고 있으며, 낭만적인 사랑이라는 주제 또한 적절하게 말하고 있습니다. 거기에 아름답다고 느끼는 개인의 감상도 어색하지 않고 적절합니다.

(가)보다는 (나)가 더 작품에 대해 적절한 감상을 말하고 있다고 하겠습니다.

✓ CHECKPOINT

낭만적 사랑이라는 작품의 주제를 이해하고 있어야 적절한 감상을 가려낼 수 있습니다.

3 사고 영역 _ 창의적 사고

작품과 관련하여 다양한 화제에 대하여 생각해 보고 활동해 보면서 창의
력을 기릅니다.

드물게 볼 수 있는 것은 늘 사람들의 호기심을 불러일으키고, 나아가
신비한 느낌마저 주게 마련입니다. 쌍둥이가 사람들의 관심을 끄는 것은
바로 이러한 희소성이 있는 존재이기 때문입니다. 만약 주위에서 흔하게
쌍둥이를 볼 수 있고, 혼자 태어난 사람이 별로 없다면 상황은 반대가 되
어 혼자 태어난 사람이 별종 취급을 받았을 것입니다.

쌍둥이는 그 존재만으로 사람들의 호기심을 자극하기 때문에 소설이
나 영화 등의 소재로 종종 등장합니다. 신비한 느낌을 주어서 독자가 이
야기에 몰입할 수 있게 해 주는 역할을 해 주며, 같은 얼굴이지만 다른 인
생을 살아간다는 식의 대비가 독자에게 주제를 이해하기 쉽게 전달해 주
는 역할을 하기 때문이지요.

우리나라의 동화 가운데 김내성의 〈쌍무지개 뜨는 언덕〉이라는 쌍둥
이 자매가 나오는 동화가 있으며, 외국 소설 가운데 헝가리 작가 아고타
크리스토프의 〈존재의 세 가지 거짓말〉에도 쌍둥이가 등장합니다. 그 외
쌍둥이가 주인공인 영화나 드라마도 많이 있습니다.

CHECKPOINT

도서관이나 인터넷을 이용하여 이야기를 찾아보고, 연령에 맞는 작품에 대해서는
또 다른 독서 활동이나 시청으로 이어질 수 있도록 해 주세요.

사고 영역 _ 논리적 사고

하나의 주장에 대하여 옹호하거나 반대하는 논증을 만들어 보면서 자신의
주장을 논리적으로 구성하는 방법을 배우게 됩니다.

● **옹호하는 논증의 예** : 겉모습만 보고 인격이나 마음씨 등을 알 수
는 없습니다. 겉모습은 아름답지만 사악한 사람이 있으며, 겉모습은
보잘것없지만 깨끗하고 착한 마음을 가진 사람도 있습니다. 극단적
으로 우리는 잘생긴 살인마에 관한 소식이나 사람들이 추한 얼굴이
라고 외면하지만 이웃에 선행을 행하는 사람들에 대한 소식도 종종
접합니다. 겉모습은 그 사람에 대하여 알려 주지 않으므로, 우리는
어떤 사람에 대해 알고자 할 때 겉모습에 집착해서는 안 됩니다.

● **반대하는 논증의 예** : 겉모습에만 집착하는 것은 옳지 않지만 겉모
습이 그 사람에 대하여 아무것도 알려 주지 않는 것은 아닙니다. 그
사람의 옷이나 머리 모양 등의 스타일은 그 사람의 성격과 가치관에
대하여 어느 정도 실마리를 제공합니다. 예를 들어 옷이 좋은 것이냐
나쁜 것이냐에 상관없이 옷을 깨끗하게 입지 않고 지저분한 모습으
로 다니는 사람은 성격이 지저분하고 게으른 사람일 수 있습니다. 겉
모습 그 자체가 그 사람은 아니지만 겉모습이 그 사람의 내면에 대한
실마리를 제공해 줄 수는 있는 것입니다.

CHECKPOINT

주장을 뒷받침하는 타당하고 적절한 근거를 제시하는 것이 중요합니다.

사고 영역 _ 논리적 사고

제시문을 분석하고 파악하여 논술의 주제와 연결시킬 수 있어야 합니다.

실비네는 쌍둥이 동생인 랑드리를 무척 사랑했습니다. 그런데 그의 감정은 사랑을 넘어서서 점점 집착으로 변해 갔습니다. 그는 랑드리가 자기보다 다른 사람과 가까워지는 것을 용납하지 못했습니다. 그래서 점점 동생을 대하는 태도도 사랑을 느끼게 하는 것이 아닌, 질투심과 화를 드러내는 것으로 변질되었습니다.

이러한 집착은 스스로를 정신적으로 성장하지 못하게 해서 항상 동생과 가족에게 의지하면서도 그들을 자기 마음대로 휘두르려는 어린아이와 같은 상태에 머물게 했습니다.

제시문 가운데 파데트의 말은 실비네의 문제점을 꼬집으면서, 집착과 사랑의 차이를 말해 주고 있습니다. 집착은 이기적으로 자기 자신 먼저 생각하며, 이기적인 욕망이 채워지지 못했을 때 상대에 대한 원망으로 변질됩니다. 그러나 사랑은 무리한 것을 요구하지 않으며, 상대방을 있는 그대로 지켜봐 주는 것입니다.

CHECKPOINT

제시문 가운데 파데트의 말에서 집착과 사랑의 차이점을 발견할 수 있어야 합니다.

다음은 논술 5단계 문제에 대한 예시 글입니다. 지도에 참고하시기 바랍니다.

제시문에서 파데트는 실비네의 문제점을 잘 지적하고 있습니다. 실비네는 랑드리를 사랑하는 것을 넘어서서 과도하게 집착하고 있습니다. 동생의 애정과 관심을 독차지하려고 하는 이러한 욕망은 이기적인 것으로, 실비네 자신을 성인으로 온전하게 홀로 설 수 없도록 방해하고 있습니다.

사랑과 집착이라는 감정은 종이 한 장 차이로 비슷하게 보이지만, 매우 다르며 그것이 불러오는 결과도 전혀 다릅니다. 랑드리와 파데트의 경우에서 볼 수 있듯이 사랑은 상대방을 배려하고 존중하는 마음이며, 상대방의 발전을 위해 서로 노력하는 마음입니다. 그러나 집착은 상대방에 대한 배려보다는 내 감정만을 앞세우기 때문에 시기와 질투, 욕심을 불러일으킵니다.

사랑은 상대방에게 일방적으로 무엇인가를 요구하지 않습니다. 그러나 집착은 상대방에게 내가 원하는 것을 무리하게 요구하며, 요구가 채워지지 않았을 때 원망 등의 부정적인 감정을 불러일으킵니다. 그것은 상대방을 지치게 만들고, 결국 두 사람의 사랑은 성숙하지 못합니다. 사랑이 자기 자신과 상대방을 위하는 것이고 사람을 성숙시킨다면, 집착은 자기애의 강요이고 사람을 이기적이고 유치한 상태에 머물게 합니다.

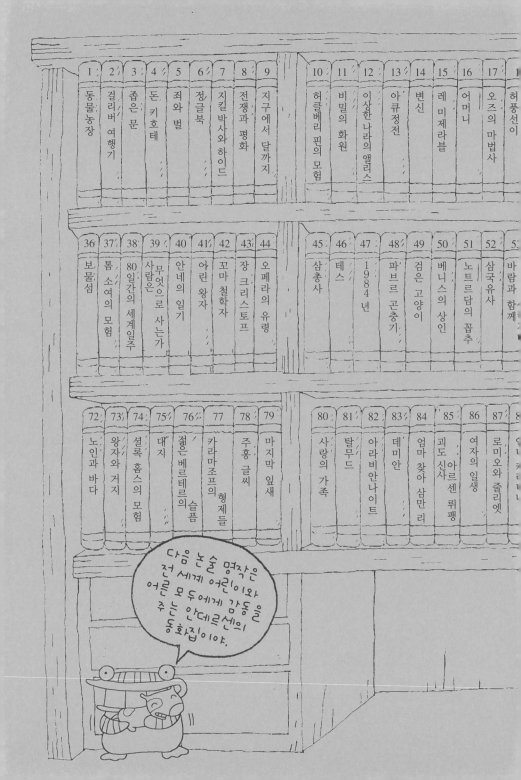